Intersection

Intersection

Carrole **LEBEL**
Linda **PAGÉ**

Mathématique
er cycle

us la direction de
arrole **LEBEL**

PLAISIR à faire
des MATHS

Manuel de l'élève

Intersection

auteures
Carrole Lebel
Linda Pagé

sous la direction de Carrole Lebel

révision scientifique
Ivan Constantineau

révision linguistique
Carolle Dea

conception graphique
LIDEC inc.

illustrations
Mylène Gauthier
Linda Lemelin
Johanne McNulty
Annie Pelletier
Tachycom

illustration de la couverture
Johanne McNulty

Dépôt légal
Bibliothèque nationale du Québec, 2001
Bibliothèque nationale du Canada, 2001

ISBN 2-7608-6244-5
Imprimé au Canada

Nous reconnaissons l'aide financière du gouvernement du Canada par l'entremise du Programme d'Aide au Développement de l'Industrie de l'Édition (PADIÉ) pour nos activités d'édition.

Canada

LE «PHOTOCOPILLAGE» TUE LE LIVRE

4350, avenue de l'Hôtel-de-Ville
Montréal (Québec) H2W 2H5
Téléphone: (514) 843-5991
Télécopieur: (514) 843-5252
Adresse Internet: http://www.lidec.qc.ca
Courriel: lidec@lidec.qc.ca

 1. Résoudre une situation-problème.

 2. Déployer un raisonnement mathématique à l'aide d'un réseau de concepts et de processus.

 3. Communiquer à l'aide du langage mathématique.

4. Apprécier la contribution de la mathématique aux différentes sphères de l'activité humaine.

Les 5 composantes de la compétence 1

Bonjour, je m'appelle **Décodo**. J'aide les enfants à se rappeler qu'il est très important de bien décoder le problème avant de chercher des solutions.

Bonjour, je m'appelle **Modélisa**. J'aide les enfants à penser à d'autres situations semblables au problème. Parfois, on utilise du matériel, des images ou d'autres outils pour bien comprendre le problème.

Bonjour, je m'appelle **Applicou**. J'aide les enfants à bien utiliser les stratégies pour trouver des solutions. J'ai un crayon magique qui me donne des trucs. Il me montre aussi de nouvelles stratégies et me rappelle celles que je connais déjà.

Bonjour, je m'appelle **Vérif**. Je rappelle aux enfants de valider leur solution.

Bonjour, je m'appelle **Messagie**. Je rappelle aux enfants de partager leurs solutions.

Bonjour, je m'appelle **Crayon magique**. Je me promène dans ton livre pour t'offrir des trucs et des stratégies.

11

Ordre intellectuel

 1. Exploiter l'information.

 2. Résoudre des problèmes.

 3. Exercer sa pensée critique.

 4. Mettre en oeuvre sa pensée créatrice.

Ordre méthodologique

 1. Pratiquer des méthodes de travail efficaces.

 2. Exploiter les technologies de l'information et de la communication.

Ordre personnel et social

 1. Développer son identité personnelle.

 2. Entretenir des relations interpersonnelles harmonieuses.

 3. Travailler en coopération.

 4. Faire preuve de sens éthique.

Ordre de la communication

 1. Communiquer de façon appropriée.

Intersection

Domaines d'expérience de vie

 1. Vision du monde

 2. Santé et bien-être

 3. Orientation et entrepreneuriat

 4. Développement sociorelationnel

 5. Environnement

 6. Consommation

 7. Médias

 8. Vivre-ensemble et citoyenneté

Les domaines mathématiques

Nombres et opérations

Géométrie

Mesure

Probabilités

Statistique

La boîte à outils

Je me parle positivement pour m'encourager.

Je me rappelle ce que je sais.

Je fais un dessin.

Je laisse des traces de ma démarche.

J'utilise du matériel.

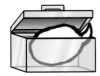

J'explique dans mes mots.

Je consulte les affiches.

Je demande de l'aide.

Je me questionne.

(oui)   (non)

Les modes de fonctionnement

Travail en dyade

Travail en équipe

Travail en groupe

La calculatrice

Pitonneuse

Le calcul mental

Creuse-Caboche

Suggestions pour l'exploitation de l'ordinateur

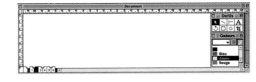

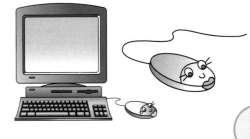

Bonjour! Bienvenue à l'école!
Bienvenue dans l'univers des mathématiques avec Intersection!

Voici ton manuel C.

Il contient 4 séquences.

Dans chacune des séquences, tu vivras les 3 temps de ta démarche d'apprentissage.

1er temps   La préparation

- Tu découvres la **situation de départ**.

- Tu fais des **liens** avec ce que tu connais.

- Tu prends connaissance de ta nouvelle **mission**.

- Tu te prépares pour la **tâche** à faire.

- Tu «sors» de la tâche pour faire des **activités spécifiques** au besoin.

2e temps   La réalisation

- Tu réalises la **tâche**.

- Tu utilises tes **outils**: tes **compétences** et tes **stratégies**.

- Tu te **questionnes** sur ce que tu apprends et sur ce que tu fais.

- Tu «sors» de la tâche pour faire des **activités spécifiques** au besoin.

3e temps   L'intégration et le réinvestissement

- Tu fais le **point** sur la réussite de ta mission.

- Tu réfléchis aux **compétences** que tu as développées.

- Tu mets à jour ton **portfolio**.

- Tu fais de **nouvelles activités** pour devenir plus compétent ou compétente.

Nous te souhaitons de belles découvertes et des projets magnifiques.

Les auteures,
Linda et Carrole

VI

Table des matières

Séquence 10

Un voyage à travers les âges /1

 Résoudre une situation-problème.

 Concepts et processus.

 Communiquer en langage mathématique.

 Apprécier les mathématiques.

 Communiquer de façon appropriée.

 Vision du monde.

Séquence 11

Le cerf-volant de Benjamin /29

 Concepts et processus.

 Apprécier les mathématiques.

Exploiter l'information.

 Mettre en oeuvre sa pensée créatrice.

Orientation et entrepreneuriat.

L'histoire d'Astro   /47

- ■ Concepts et processus.
- ⬡ Communiquer en langage mathématique.
- ● Apprécier les mathématiques.
- CT Pratiquer des méthodes de travail efficaces.
- CT Entretenir des relations interpersonnelles harmonieuses.
- CT Travailler en coopération.
- ♥ Orientation et entrepreneuriat.

Séquence *12*

Le jardin zoologique   /83

- △ Résoudre une situation-problème.
- ■ Concepts et processus.
- ⬡ Communiquer en langage mathématique.
- ● Apprécier les mathématiques.
- CT Exploiter l'information.
- CT Résoudre des problèmes.
- CT Pratiquer des méthodes de travail efficaces.
- CT Exploiter les TIC.
- CT Communiquer de façon appropriée.
- ♥ Environnement.

Des livres pour tous les goûts! /135

■ Concepts et processus.

⬡ Communiquer en langage mathématique.

● Apprécier les mathématiques.

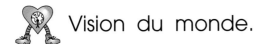 Exploiter l'information.

Communiquer de façon appropriée.

Vision du monde.

Le plaisir de fabriquer des livres /173

■ Concepts et processus.

⬡ Communiquer en langage mathématique.

● Apprécier les mathématiques.

Exploiter l'information.

Exercer sa pensée critique.

Mettre en oeuvre sa pensée créatrice.

Pratiquer des méthodes de travail efficaces.

Orientation et entrepreneuriat.

Un voyage à travers les âges

1er temps La préparation

Ce que je vais développer

△ ■ ⬡ ●

Contenu mathématique

2³₅₄ Lecture et écriture des nombres < 1000

▮▮▮ Valeurs de position

▮▮▮ Échanges et équivalences

Origine et création des nombres

2³₅₄ Évolution dans l'écriture des nombres

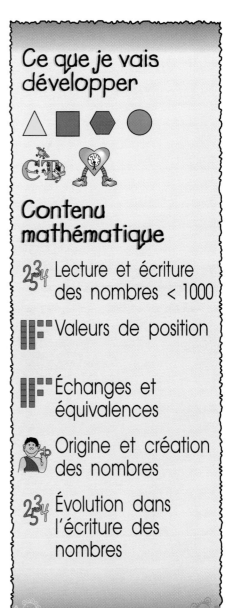

Xavier est un internaute très habile. Un jour qu'il naviguait dans Internet, il découvrit un site étrange sur les nombres. Xavier, étonné, décida de partir à la découverte de son contenu. Il cliqua à droite sur une bulle.

Celle-ci lui demanda son nom, puis son âge et l'amena ensuite dans une grande salle. Deux choix s'offrirent alors à Xavier:

1) Si tu es courageux ou courageuse, clique ici!
2) Retour au menu

Xavier décida de cliquer sur le premier choix.
L'écran de son ordinateur se remplit de
couleurs, puis une porte s'ouvrit.
Xavier prit son curseur pour
agrandir l'image.
Il vit alors une bulle très
bizarre apparaître à l'écran.

Bonjour Xavier, je m'appelle Hector. Je te trouve
audacieux de vouloir continuer à explorer ce
monde inconnu. Tu vois la machine?...
C'est moi! Je t'offre un voyage dans le temps.
Ce voyage te permettra de découvrir pourquoi
les humains ont inventé les mathématiques
et comment les hommes d'autrefois comptaient.

Ces illustrations ont-elles des traits
communs? Explique ta réponse.

Peut-on, à partir de ces faire dessins, faire ressortir la présence
de systèmes de numération? Quels en sont les indices?

Notre façon de représenter les nombres est-elle la meilleure? Pourquoi?

Crois-tu que tous les peuples de la terre utilisent le même système de numération? Explique-toi.

Ta mission

Tes camarades et toi produirez une affiche sur les caractéristiques de notre système de numération.

Tu pourras ainsi mieux le comprendre et apprécier son utilité dans ta vie de tous les jours. Ta mission te permettra d'en savoir plus sur la lecture et l'écriture des nombres et d'approfondir tes connaissances sur leur origine et leur création.

Tu auras réussi ta mission si...

△ Tu expliques comment fonctionne notre système de numération.

⬡ Tu utilises le langage mathématique dans tes explications.

▢ Tu lis et écris correctement des nombres plus petits que 1000.

⬤ Tu nommes des situations de ta vie où la numération est présente.

Tu expliques comment tu as fait pour comprendre notre système de numération, son utilité et son utilisation.

 Tu communiques clairement et avec précision les caractéristiques de la numération décimale.

 Tu exprimes ton opinion sur l'histoire des nombres.

 Tu développes des stratégies de travail en équipe.

SORTIE **Un instant**

Connais-tu beaucoup de choses sur l'histoire des nombres et de leurs symboles?

 Oui

 Non

J'ai besoin d'une activité spécifique.

Une histoire sans fin

Voici une ligne du temps
pour situer certaines grandes civilisations.

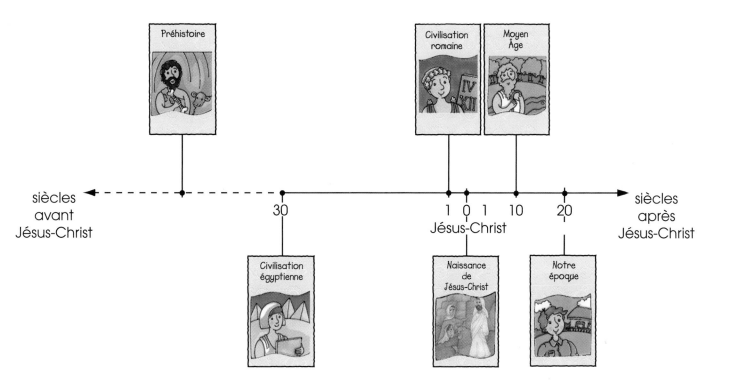

Quelles informations en tirez-vous?

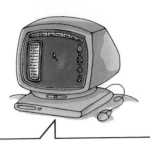

1. À l'époque préhistorique, bien avant l'invention de l'écriture, des hommes et des femmes vivaient dans des cavernes et des grottes. La chasse, la pêche et la cueillette de petits fruits étaient leurs seuls moyens de subsistance. Ces gens devaient se déplacer d'un endroit à un autre pour renouveler leur terrain de chasse. Ils fabriquaient des vêtements rudimentaires et construisaient des abris en utilisant les matériaux trouvés sur place. Ils ont vécu ainsi pendant des milliers d'années.

- À ton avis, les hommes préhistoriques savaient-ils compter?

- Comment pouvaient-ils le faire?

- Explique ton point de vue.

2. Tous les soirs, ce berger abrite son troupeau de moutons dans une caverne. Il a 65 moutons, mais le berger ne sait pas compter.
Il ignore ce qu'est le nombre 65!
Il sait seulement qu'il a beaucoup de moutons.
Comment peut-il savoir s'il lui manque des bêtes ou s'il s'en ajoute?

Dans quelle mesure crois-tu que son calcul est exact?

C'est quoi un siècle?

3. Bien des siècles ont passé.
Les hommes et les femmes ont cessé de vivre de la chasse. Ils étaient fatigués de toujours se déplacer pour suivre les troupeaux d'animaux. Ils se sont alors établis dans de petits villages.

Regarde bien cette femme.
Que fait-elle?

Elle compte des oeufs. Elle remplace chaque oeuf par un caillou, puis les empile par petits groupes de 12. Combien d'oeufs a-t-elle?

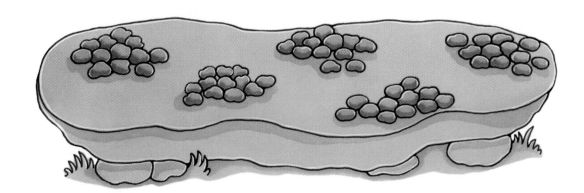

 Comment as-tu fait pour trouver la réponse?

Explique-toi.

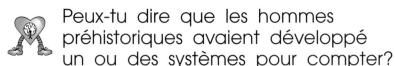 Pour réussir ta communication, pratique une écoute attentive. Respecte le droit de parole de tes camarades. Formule des questions claires et complètes.
Exprime tes idées clairement et de façon précise.

Peux-tu dire que les hommes préhistoriques avaient développé un ou des systèmes pour compter?

Compare le système du berger pour compter ses moutons au système qu'utilise la femme qui compte ses oeufs. Quels sont les avantages de chacun?

Quel système serait le plus rapide et le plus efficace à utiliser?

4. Il y a environ 30 siècles, la civilisation de l'Égypte naît sur les rives du grand fleuve appelé le Nil. Les Égyptiens inventent leur propre système d'écriture. Ils sont les premiers à élever d'immenses constructions en pierre, les pyramides.

Ils ont aussi développé une méthode pour compter en représentant des quantités à l'aide de symboles.

En voici trois:

$\|$ = 1

$\cap$ = 10

$\copyright$ = 100

nombres	unités	dizaines	centaines
	1	10	100
1	$\|$	$\cap$	$\copyright$
2	$\|\|$	$\cap\cap$	$\copyright\copyright$
5	$\|\|\|$ $\|\|$	$\cap\cap\cap$ $\cap\cap$	$\copyright\copyright\copyright$ $\copyright\copyright$
9	$\|\|\|\|\|$ $\|\|\|\|$	$\cap\cap\cap\cap\cap$ $\cap\cap\cap\cap$	$\copyright\copyright\copyright\copyright\copyright$ $\copyright\copyright\copyright\copyright$

Les Égyptiens comptaient comme nous, en base 10.
Ils ajoutaient des dessins les uns à la suite des autres.
Quelquefois, leurs nombres étaient très longs à écrire.
Ainsi, 789 s'écrivait:

 Et si tu changeais l'ordre des symboles, découvrirais-tu le même nombre? Pourquoi?

 Ce système est-il simple à utiliser pour les grands nombres? Pourquoi?
Explique le raisonnement et la démarche que tu utiliserais pour écrire un nombre comme un Égyptien.

5. Connais-tu les histoires d'Astérix, d'Hercule et de Jules César? Nous sommes au temps des Romains.
Les Romains voulaient régner sur tout le territoire autour de la mer Méditerranée. C'est grâce à son armée que l'Empire romain est devenu si grand.
Les Romains parlaient le latin et le grec.

Savais-tu que les Romains ont développé une méthode particulière pour écrire les nombres?

Sauras-tu découvrir le fonctionnement de ce système?

Observe le tableau des symboles.

Quels sont les principaux symboles de la numération romaine?

nombres	unités (1)	dizaines (10)	centaines (100)
1	I	X	C
2	II	XX	CC
3	III	XXX	CCC
4	IV	XL	CD
5	V	L	D
6	VI	LX	DC
7	VII	LXX	DCC
8	VIII	LXXX	DCCC
9	IX	XC	CM

Qu'arrive-t-il si tu changes l'ordre des symboles suivants:
XL ⟶ LX, VI ⟶ IV, DC ⟶ CD?
Peux-tu expliquer le sens de ces symboles?

Moi, je dis que
DCCCLXXXVIII < CM.
La longueur d'un nombre en
chiffres romains n'a rien à voir
avec sa valeur.

Es-tu d'accord avec
l'affirmation de Décodo?

6. Les chiffres romains sont-ils encore utilisés?
Où peut-on les voir?
Donne des exemples.

■ ⬡ Ce système
est-il simple à
utiliser? Pourquoi?
Explique ton
raisonnement et
la démarche que
tu utiliserais pour
écrire un nombre
en chiffres romains?

7. Compare ces 3 systèmes de numération .

Quelles en sont les différences? Peut-on changer la
position des symboles sans changer les nombres?
Quel système préfères-tu? Pourquoi?
Est-il important que les gens utilisent le même système
de numération? Pourquoi?

Ajoute ces informations nouvelles à ton portfolio.

△ Formule tes hypothèses. Compare-les à celles de tes camarades. Interroge tes camarades pour mieux comprendre. Prépare ton message avant de donner ta réponse. Sois certain ou certaine d'utiliser les mots exacts! Utilise ton dictionnaire.

8. L'écriture de nos chiffres vient des Arabes, mais elle est d'origine indienne. Comment expliques-tu cela? Sais-tu comment s'appelle notre système de numération et par qui il est utilisé?

Savais-tu que le mot «chiffre» vient du mot arabe «sifr» qui veut dire zéro?

Retour à la tâche

Que penses-tu de ton voyage «cybérial», Xavier?

C'est fantastique! Tu m'as appris beaucoup sur l'évolution de l'écriture des nombres. Merci!

Intersection

2e temps La réalisation

Consignes

1. Échangez sur les caractéristiques de notre système de numération.

SORTIE **Un instant**

Peux-tu nommer les caractéristiques de notre système de numération et expliquer comment il fonctionne?

 Oui

 Non

J'ai besoin d'une activité spécifique.

 **14** quatorze

Le système décimal

Identifie les informations importantes. Représente la situation à l'aide d'objets ou d'images. Utilise des stratégies de résolution de problèmes.

1. Copie sur une feuille 10 nombres ou chiffres que tu as observés dans les publicités, les catalogues, l'annuaire téléphonique, ton manuel de mathématique,...

Observe comment sont disposés les chiffres. Crois-tu qu'ils sont toujours disposés ainsi?

Dans quel sens faut-il les lire? Quelles sont les positions de nombres que tu connais? Comment sont-elles placées?

2. Compare 69 et 96 unités.

 Y a-t-il un nombre qui est le plus grand? Pourquoi?

Est-ce qu'un nombre est plus grand quand il a 39 dizaines ou 390 unités? Pourquoi? Comment peux-tu en être certain ou certaine? Combien de centaines retrouves-tu dans ce nombre? Comment le sais-tu?

3. Peux-tu faire différents échanges entre les dizaines et les unités dans 74?

 Illustre tes échanges avec du matériel... Maintenant que tes échanges sont faits, pourrais-tu enlever 9 unités à ce nombre? Comment?

4. Que deviendrait le nombre 97 si tu plaçais un zéro:

a) à la position des unités?
b) à la position des centaines?
c) entre les 2 chiffres?

Quelle est ta conclusion sur les valeurs de position que peut prendre le nombre 0?

Mémento

Un système de numération est un ensemble de règles et de symboles qui permettent de lire et d'écrire tous les nombres.

Notre système de numération est positionnel et basé sur des groupements de 10.

Exemple: Voici une structure du nombre 347.

	centaines	dizaines	unités
représentation du nombre			□
valeur de position	100 + 100 + 100	10 + 10 + 10 + 10	1 + 1 + 1 + 1 + 1 + 1 + 1
nombre	3	4	7

Si je change la position du chiffre 4 dans ce nombre, il n'aura plus la même valeur.

Évaluation

Contenu mathématique

2³⁴₅ Lecture et écriture des nombres < 1000

Propriétés de notre système de numération

1. Tu veux connaître le montant exact de la collection de pièces de 1 cent de Kloé?
   Sers-toi de tes jetons et complète la grille ci-dessous.

centaines	dizaines	unités

2. Si Kloé avait 5 $ et 65 ¢:

   a) combien de pièces de 1 ¢ aurait-elle?

   b) pourrait-elle faire les affirmations suivantes?

      J'ai 56 ¢  .

      J'ai 505 ¢  .

      Explique pourquoi?

3. Utilise ton matériel pour représenter les nombres suivants.
   Complète les équations.

   a) 249 – 3 dizaines + 7 unités = ?
   b) 6 dizaines + 15 unités + 13 dizaines = ?

4. Trouve chacun des nombres suivants.

   a) 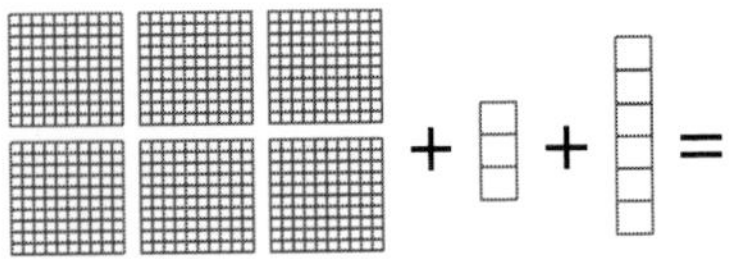 + + =

   b) 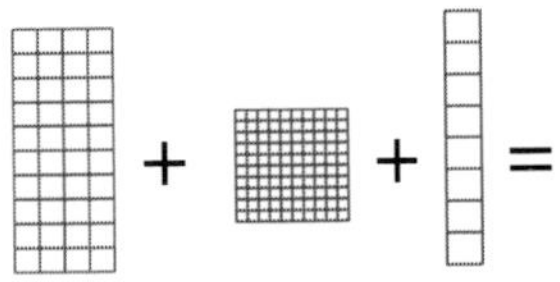 + + =

   c) 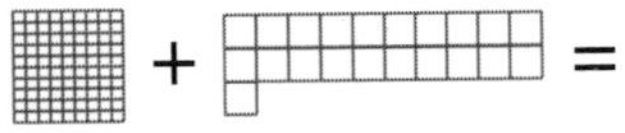 + =

Retour à la tâche

2.  Sélectionnez les informations importantes.

3. Choisissez un modèle d'affiche.

As-tu observé comment les affiches publicitaires étaient faites? Prends le temps d'en observer quelques-unes avant de produire la tienne. Tu apprendras sûrement plein de trucs.

Partage tes découvertes avec tes camarades de classe et n'oublie pas de consulter ton portfolio. C'est une mine de renseignements!

4. Répartissez-vous les tâches à accomplir.

5. ■ ℭ𝔗 Produisez votre affiche sur les caractéristiques de notre système de numération.

Sais-tu comment travailler en équipe?
Connais-tu les différents rôles des coéquipiers et coéquipières d'une équipe? Réponds à ces questions et établis un code de vie pour un travail en équipe efficace. Conserve ces précieuses informations dans ton portfolio pour la prochaine fois.

6. C'est la présentation!

Avant de présenter votre affiche à la classe ou à un groupe d'amies et d'amis, vous devez préparer votre rencontre.
Apportez des correctifs au besoin.

N'oublie pas que tu dois expliquer à tes camarades comment fonctionne notre système de numération.

Je te propose une façon de réussir ta présentation orale:

a) Annonce le sujet;

b) Informe tes camarades du sujet;

c) Mets de l'ordre dans tes idées;

d) Choisis des mots précis;

e) Regarde les gens à qui tu t'adresses;

f) Parle assez fort;

g) Utilise du matériel au besoin: graphiques, dessins, blocs multibases, jetons;

h) Conclus par un commentaire personnel;

i) Aie confiance en toi!

7. Évaluez la qualité de votre affiche.

As-tu aimé faire ce voyage
à travers les âges? Explique.
Qu'est-ce que tu as appris?
Penses-tu avoir réussi ta mission?
Pourquoi?

Tu es maintenant arrivée ou arrivé à l'étape de faire une évaluation de ton travail.

Tu dois évaluer ta démarche, les savoirs que tu as acquis et ceux que tu dois encore travailler.

Tu pourrais réinvestir tes nouvelles compétences dans un nouveau projet.

Fais une recherche sur la préhistoire, l'Égypte ou les Romains.

Communique tes découvertes à tes camarades.

Conserve tes informations dans ton journal.

Utilise la grille que ton enseignante ou ton enseignant te remettra pour compléter ton évaluation.

Remets-lui cette grille par la suite.

Riche de tes nouvelles compétences, tu es prête ou prêt pour une nouvelle tâche. N'oublie pas qu'avant de t'y lancer, tu dois t'arrêter pour faire des liens entre les tâches que tu as accomplies et celles que tu t'apprêtes à réaliser.

Construis ta carte d'association d'idées.
Trouve un moyen pour dire ce que tu sais sur:

a) la lecture et l'écriture des nombres;
b) les valeurs de position;
c) les échanges et les équivalences;
d) l'origine et la création des nombres;
e) l'évolution dans l'écriture des nombres.

Peux-tu faire des liens entre ces notions mathématiques?
Si oui, de quelle façon?
Si non, pourquoi?

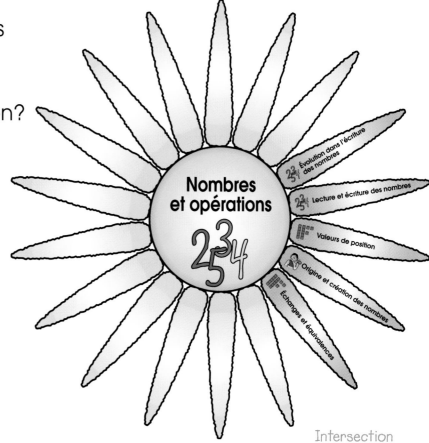

Le coin de la récréation

Le tic tac toc tactique

Ce jeu ressemble au jeu du tic tac toc que tu connais. Les X et les O sont remplacés par des nombres: 0, 1, 2, 3, 4, 5, 6, 7, 8, 9.

Sans répéter 2 fois le même nombre, chaque joueur ou joueuse inscrit, à tour de rôle, un chiffre dans la grille. Le premier ou la première qui réussit à obtenir 3 nombres en ligne dont la somme est 15 gagne la partie.

Dans les 2 situations suivantes, c'est à toi de jouer.

1re situation

	3	
1	0	2
	4	

2e situation

	8	
7	9	0
	6	

Trouve un moyen pour m'empêcher de faire 15 et de gagner.

Mais quelle cadruche se cache sous ce cas de ruche?

Sais-tu ce qu'est une cadruche?
C'est un animal imaginaire qui:

- mesure 3 dm de longueur et peut atteindre 30 cm de hauteur;

- a une queue mesurant 2 dm de longueur;

- a l'oreille droite de forme triangulaire et qui mesure 1 dm de hauteur et 10 cm de largeur;

- a l'oreille gauche en forme de losange et qui est le double de la largeur de sa bouche;

- a une bouche qui ne mesure pas plus de 4 cm de hauteur, de forme carrée et située au centre du front de l'animal;

- n'a ni poils, ni plumes, mais qui a 23 pattes et 1 oeil de forme ronde.

Dessine une cadruche.
Prépare une séance d'improvisation avec ta classe en utilisant des cadruches.
Choisis des mots parmi les suivants et utilise-les dans ton impro.

> Longueur, largeur, hauteur, mètre, centimètre, décimètre, rectangle, triangle, petit, carré, quadrilatère, côté, cercle.

Le coin de la numérologie

Voici la suite des nombres de 0 à 100. L'inspecteur Gribouille a dessiné un L avec certains nombres.

Ces nombres renferment le secret de quelque chose. Mais quelle embrouille!

0	1	2	3	4	5	6	7	8	9
10	11	12	13	14	15	16	17	18	19
20	21	22	23	24	25	26	27	28	29
30	31	32	33	34	35	36	37	38	39
40	41	42	43	44	45	46	47	48	49
50	51	52	53	54	55	56	57	58	59
60	61	62	63	64	65	66	67	68	69
70	71	72	73	74	75	76	77	78	79
80	81	82	83	84	85	86	87	88	89
90	91	92	93	94	95	96	97	98	99

Découvre le secret des nombres du L.

Fais la séquence des équations suivantes avec ta calculatrice, et  te révélera alors un autre grand secret des nombres.

1. Trouve le nombre qui est à la fois sur la ligne horizontale et sur la ligne verticale du 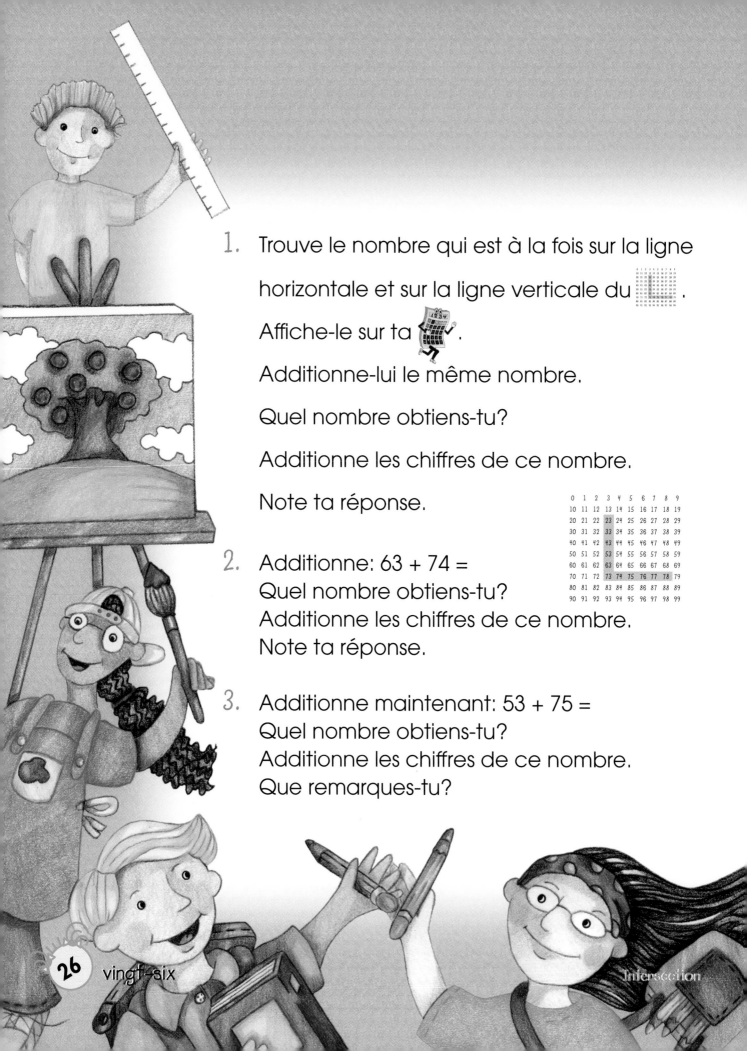.

   Affiche-le sur ta calculatrice.

   Additionne-lui le même nombre.

   Quel nombre obtiens-tu?

   Additionne les chiffres de ce nombre.

   Note ta réponse.

0	1	2	3	4	5	6	7	8	9
10	11	12	13	14	15	16	17	18	19
20	21	22	23	24	25	26	27	28	29
30	31	32	33	34	35	36	37	38	39
40	41	42	43	44	45	46	47	48	49
50	51	52	53	54	55	56	57	58	59
60	61	62	63	64	65	66	67	68	69
70	71	72	73	74	75	76	77	78	79
80	81	82	83	84	85	86	87	88	89
90	91	92	93	94	95	96	97	98	99

2. Additionne: 63 + 74 =
   Quel nombre obtiens-tu?
   Additionne les chiffres de ce nombre.
   Note ta réponse.

3. Additionne maintenant: 53 + 75 =
   Quel nombre obtiens-tu?
   Additionne les chiffres de ce nombre.
   Que remarques-tu?

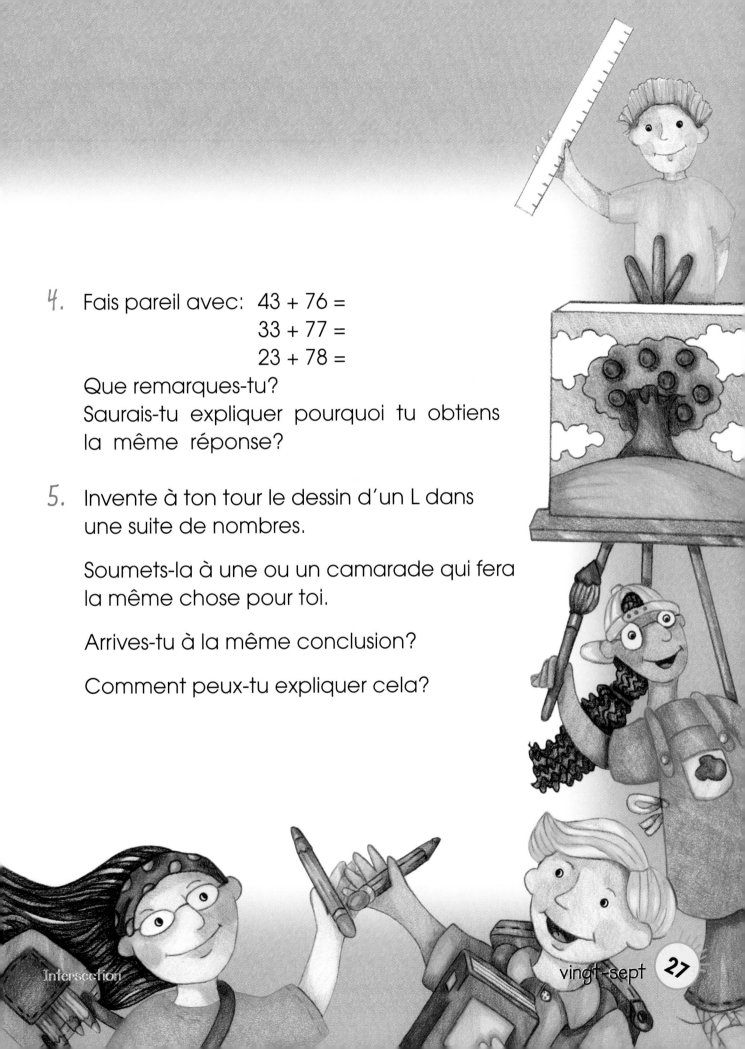

4. Fais pareil avec: 43 + 76 =

33 + 77 =

23 + 78 =

Que remarques-tu?

Saurais-tu expliquer pourquoi tu obtiens la même réponse?

5. Invente à ton tour le dessin d'un L dans une suite de nombres.

Soumets-la à une ou un camarade qui fera la même chose pour toi.

Arrives-tu à la même conclusion?

Comment peux-tu expliquer cela?

Doit-on dire... des mensonges ou des menteries???

Voici les enfants de la famille Parlément.

Je suis le cadet de la famille.

Ce garçon dit la vérité 3 fois sur 5.

Je suis la troisième.

Cette fille dit la vérité 2 fois sur 5.

Je suis la deuxième.

Cette fille ment 1 fois sur 5.

Je suis l'aîné.

Ce garçon ment 3 fois sur 5.

Les deux enfants qui disent le plus souvent la vérité n'ont pas menti sur leur ordre de naissance, tandis que les deux autres ont menti.

Dans quel ordre les enfants de cette famille sont-ils nés?

On doit dire la vérité!

Le cerf-volant de Benjamin

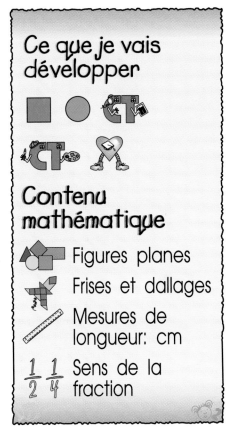

Ce que je vais développer

Contenu mathématique

Figures planes

Frises et dallages

Mesures de longueur: cm

$\frac{1}{2}$ $\frac{1}{4}$ Sens de la fraction

1er temps La préparation

Benjamin est excité à l'idée de revoir son oncle Harold. Harold, c'est le parrain de Benjamin. Il était parti depuis deux ans travailler à l'étranger comme arpenteur-géomètre . Benjamin l'aime beaucoup.

Le voici qui accompagne ses parents à l'aéroport. L'avion vient tout juste d'atterrir et les passagers descendent de l'avion. Au loin, Benjamin croit voir son oncle. Il est très heureux.

Lorsque l'oncle Harold arrive tout près de Benjamin, ce dernier court et lui saute dans les bras. Son oncle l'embrasse et lui tend un sac.

Intersection

◉ Tiens Benjamin, c'est pour toi!

◉ Un cadeau?

Benjamin s'empresse d'ouvrir le sac.
À sa grande surprise, il découvre
un magnifique cerf-volant.

Oh merci, oncle Harold!
Il est magnifique!
Viendras-tu le faire voler
avec moi demain?

Bien sûr!

Youpi!

Le lendemain matin, Benjamin se lève tôt pour
assembler son cerf-volant. Son oncle vient le rejoindre.

Que remarques-tu au sujet des motifs du cerf-volant?

D'après toi, pourquoi le cerf-volant de Benjamin est-il construit avec des formes géométriques?

En quoi les figures planes de ce cerf-volant sont-elles semblables? En quoi sont-elles différentes?

Connais-tu beaucoup de choses sur les figures planes?
À quoi servent-elles?
Occupent-elles une place importante dans la géométrie?

 Que sais-tu de la géométrie?

Ta mission

En équipe, vous aurez à construire un cerf-volant avec des figures planes.

Ta mission te permettra de les identifier et de les mesurer. De plus, tu pourras observer des frises et des dallages, puis d'en produire.

Enfin, tu pourras apprendre comment associer les fractions, un demi et un quart, deux quarts, trois quarts à des parties d'un entier.

Tu auras réussi ta mission si...

☐ Tu construis avec tes coéquipiers et coéquipières un cerf-volant avec des figures planes.

☐ Tu t'appliques à construire les motifs du cerf-volant avec un jeu de frise ou de dallage.

☐ Tu associes les fractions un demi et un quart, deux quarts, trois quarts à des parties d'un entier.

☐ Tu mesures correctement les côtés du cerf-volant.

Tu comprends bien les informations et que tu les utilises bien dans ton travail.

Tu exploites ta créativité.

Tu t'engages activement dans le projet et que tu contribues à mener à terme sa réalisation.

Tu reconnais l'utilité des mathématiques dans certains loisirs.

Consignes

1. Observe attentivement le cerf-volant de Benjamin.

   a) Quelles sont les figures planes que tu reconnais? Comment sais-tu s'il s'agit de triangles, de rectangles, de cercles, de carrés ou de losanges? Est-il important et utile de donner un nom différent à toutes ces figures planes?

   b) Quelles sont les figures planes qui sont les plus intéressantes pour toi? Les polygones ou les non-polygones?

   c) Voici des polygones et des non-polygones.

   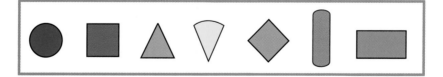

   Si tu plaçais ces figures dans un diagramme, comment les disposerais-tu? Pourquoi?

d) Que remarques-tu au sujet de la disposition des motifs du cerf-volant de Benjamin? D'après toi, peut-il y avoir une relation entre toutes les figures planes du cerf-volant?

e) Trouve une façon d'expliquer comment et pourquoi certaines formes reviennent à intervalles réguliers sur le cerf-volant de Benjamin.

SORTIE

Un instant

Connais-tu les mots frise et dallage?

 Oui

 Non

J'ai besoin d'une activité spécifique.

Les dallages et les frises
dans les rénovations!

Jean-Paul a refait toute la
décoration de sa salle de bain.
Il l'a peinte couleur bleuet et
veut installer une bande de
tapisserie juste sur les moulures.

Voici à quoi ressemble
cette bande de tapisserie.

Jean-Paul doit aussi refaire le
mur de céramique autour du
bain, car la tuile est brisée.

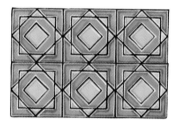

Voici un modèle de tuiles de céramique
disponible.

1. Quel est le motif de base de la bande de tapisserie? Quel
   est celui des tuiles de céramique?

   Utilise des mots comme polygone, non-
   polygone, quatre côtés, carré, rectangle,
   triangle, cercle et losange.

2. Quelles sont les différences et les ressemblances entre les
   2 suites de motifs?
   Le motif de base se répète-t-il? Comment?
   Garde-t-il aussi les mêmes mesures de ses côtés?

3. Est-il important et utile de donner un nom à une suite de
   motifs comme celle de la bande de tapisserie ou comme
   celle du mur de céramique?
   Pourquoi?

Une suite de motifs comme celle de la bande de tapisserie est une frise. Une suite de motifs comme celle du mur de céramique est un dallage.

Une frise est-elle un dallage?
Un dallage est-il une frise?
Pourquoi?

Mémento

Une frise est une bande recouverte de motifs qui se répètent en suivant un ordre.

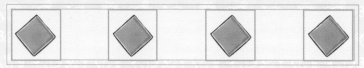

Ici, le motif de base est le .

Un dallage est le recouvrement d'une surface à l'aide de plusieurs polygones rangés sans espace libre entre eux et qui ne se recoupent pas.

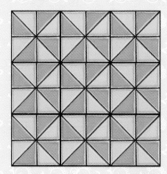

Ici, le motif de base est le .

Dans une frise ou un dallage, il y a toujours un motif de base qui se répète et qui garde toujours les mêmes mesures de ses côtés.

Dans un dallage, comme dans une frise, on peut:

1. changer la position d'un motif;

2. changer l'ordre d'un motif.

dallage

frise

Retour à la tâche

2. Peux-tu expliquer pourquoi la partie rouge du cerf-volant de Benjamin représente $\frac{2}{4}$ ou $\frac{1}{2}$ de sa surface?

SORTIE / **Un instant**

Sais-tu comment identifier les parties d'un entier?

 Oui

 Non

J'ai besoin d'une activité spécifique.

Une expérience
abracadabrante!

Pour faire cette expérience, tu as besoin:

1. d'une feuille de papier;  Tu peux prendre du papier brouillon!

2. de 2 crayons de couleurs différentes.

déroulement de l'expérience	
Plie ta feuille de papier en 2 parties bien égales dans le sens de la longueur.	longueur
Déplie-la.	Que vois-tu?
Colorie une partie sur 2 avec la couleur de ton choix.	Comment fais-tu pour identifier une partie sur 2?
Plie de nouveau ta feuille en 2 parties bien égales, mais dans le sens de la largeur.	largeur
Déplie ta feuille. Que constates-tu?	

○ Crois-tu que $\frac{1}{2} = \frac{2}{4}$?

○ Es-tu certain ou certaine de ta réponse?

Une fraction, c'est le partage d'un entier en morceaux égaux, en parties ou en portions égales.

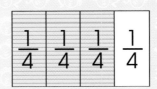

1 partie sur 2 ou $\frac{1}{2}$ de ce cercle est hachurée.

3 parties sur 4 ou $\frac{3}{4}$ de ce rectangle sont hachurés.

Deux fractions différentes peuvent représenter des parties équivalentes.

Je peux dire:

$\frac{1}{2}$ de ce cercle est hachurée

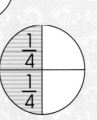

ou $\frac{2}{4}$ de ce cercle sont hachurés.

On a noirci $\frac{2}{4}$ de ces 8 cercles

ou on a noirci $\frac{1}{2}$ de ces 8 cercles.

Évaluation

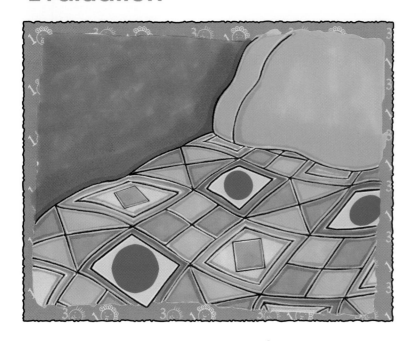

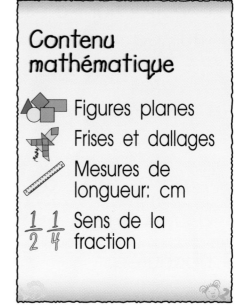

Contenu mathématique

- Figures planes
- Frises et dallages
- Mesures de longueur: cm
- $\frac{1}{2}$ $\frac{1}{4}$ Sens de la fraction

La courtepointe de ma tante Matha!

D'après toi, qu'est-ce qu'une courtepointe?
En as-tu déjà vu ou entendu parler?
À quoi peut-elle servir?

Observe très attentivement l'illustration de la courtepointe de ma tante Matha.

1. Nomme les figures planes que tu reconnais dans cette courtepointe.

Un cercle n'est pas un polygone.
C'est un non-polygone.
Te souviens-tu pourquoi?

2. Place-les dans un diagramme comme celui-ci.
Quel nom donnerais-tu à chacune des étiquettes?

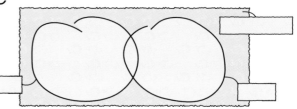

Explique tes classifications.

3. Crée le plan d'une courtepointe. Assure-toi que tes dessins reviennent à intervalles réguliers dans leurs formes et dans leurs couleurs.

Utilise les retailles de papier de construction ou de vieux magazines pour créer tes pièces.

Examine et réfléchis à ce que tu as à faire.
Planifie ce que tu vas faire.
Planifie comment tu vas le faire.

Retour à la tâche

3.  Dessinez votre modèle de cerf-volant.

Suivez bien ces indications:

a) Votre cerf-volant doit contenir au moins 4 polygones différents et au moins un cercle;

b) On doit y retrouver un jeu de régularités des formes et des couleurs;

c) $\frac{1}{4}$ de la surface de votre cerf-volant doit être colorié en bleu;

d) $\frac{1}{2}$, en jaune;

e) Le dernier $\frac{1}{4}$, en rouge;

f) Sa forme sera celle
d'un losange mesurant
100 cm de longueur
et 90 cm de
largeur.

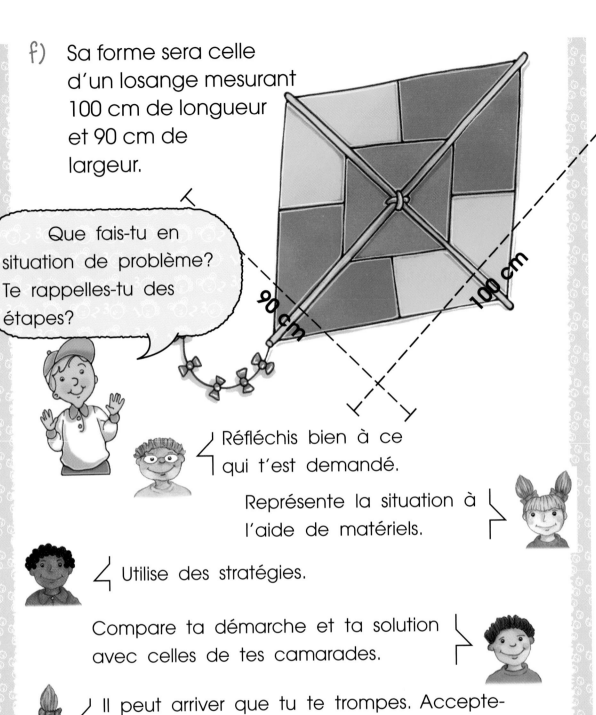

Que fais-tu en
situation de problème?
Te rappelles-tu des
étapes?

Réfléchis bien à ce
qui t'est demandé.

Représente la situation à
l'aide de matériels.

Utilise des stratégies.

Compare ta démarche et ta solution
avec celles de tes camarades.

Il peut arriver que tu te trompes. Accepte-
le, si ça t'arrive.
Il est possible qu'il y ait plusieurs solutions.

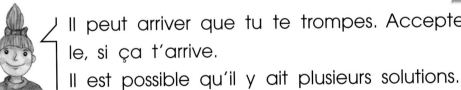

Présentez votre dessin à
vos camarades de classe.
Expliquez comment vous
l'avez fait.

4.  ● Créez votre cerf-volant à partir de votre dessin!
Répartissez-vous le travail.
Prévoyez le matériel dont vous aurez besoin.

⌐ Ce serait intéressant d'utiliser des matières recyclées.

5. Décorez-le à votre goût!

Évalue ton travail!
Es-tu fière ou fier de toi? Explique. ⌐

6. Préparez la présentation de votre cerf-volant!

- Nous devons prévoir qui fera quoi dans la présentation.

- Qui dira comment nous avons construit notre cerf-volant?

- Qui dira quel matériel nous avons utilisé pour le construire?

- Qui nommera les polygones que nous avons utilisés?

- Qui parlera de leurs caractéristiques?

Consulte ton portfolio au besoin.

7. Présentez votre cerf-volant.

Te rappelles-tu les étapes d'une bonne communication?
Consulte ton portfolio pour te les rappeler!

Comment faire voler un cerf-volant?

*Avant tout, cherchez un endroit à découvert où le vent souffle régulièrement loin des immeubles, des arbres, des routes ou des câbles électriques et suivez les étapes suivantes.

1. Dos au vent, tenez le cerf-volant d'une main et le dérouler de l'autre;

2. Dès que le cerf-volant prend le vent, lâchez-le. Déroulez la corde au fur et à mesure qu'il monte;

3. Si le cerf-volant tourne à droite ou à gauche, tentez de le stabiliser en donnant plus de corde;

4. Par vent très fort, marchez vers le cerf-volant;

5. Pour le ramener, enroulez la corde.

- Penses-tu avoir réussi ta mission? Pourquoi? Dis ce que tu as découvert.

- Raconte les étapes que tu as suivies pour construire ton cerf-volant.

- Dis ce que tu fais pour être certain ou certaine de tes résultats.
  Qui as-tu consulté pour t'aider dans ton travail? Raconte ton vécu en équipe.

- Évalue ton travail en utilisant la grille d'autoévaluation que ton enseignant ou ton enseignante te remettra.

- Complète ton portfolio.
  Tu pourras comparer tes résultats avec les grilles des autres tâches. Identifie tes progrès!

As-tu rencontré des difficultés?

Peux-tu identifier la plus grande?

Parles-en avec ton enseignant ou ton enseignante.

J'ai eu beaucoup de plaisir à réaliser le cerf-volant. En plus, j'ai appris ce qu'est un polygone, une frise, un dallage et les fractions.

C'est génial, je peux l'expliquer à mes amis et amies!

L'histoire d'Astro

Ce que je vais développer

Contenu mathématique

Comparaison et construction

Solides: Nombre de faces et base des prismes et des pyramides

Identification de figures planes

Mesures de longueur: cm

1er temps La préparation

Un jour, un grand savant a construit un robot, puis l'a doté de pouvoirs extraordinaires. Il l'a nommé Astro.

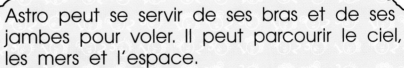

Astro peut se servir de ses bras et de ses jambes pour voler. Il peut parcourir le ciel, les mers et l'espace.
Il peut même voyager dans le temps.
Ses yeux peuvent se transformer en puissants projecteurs pour s'éclairer dans l'obscurité.
Astro possède aussi une force extraordinaire.
Il se promène partout dans le Cosmos et se fait de nombreux amis et amies.

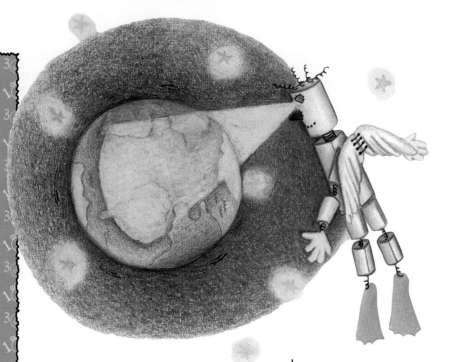

Imagine une
aventure d'Astro le
robot.
Racontez-vous-la
entre camarades.

Vos histoires se ressemblent-elles?
Comment expliques-tu cela?
Qu'ont vos histoires en commun?
Qu'ont-elles de différent?

À quoi le mot robot te fait-il penser?
Connais-tu des robots?
Est-ce qu'un robot peut agir comme un être humain?
Peut-il y avoir des êtres humains qui agissent comme
des robots?
Explique-toi.

Suis-je moi
aussi un
robot?

 a fait mon portrait-robot!

N'est-il pas beau?

À quoi le mot savant te fait-il penser?
Qu'est-ce qui fait que l'on dit de quelqu'un qu'il est un savant ou une savante?

Je me demande ce qu'un savant ou une savante fait comme métier?

Suis-je moi aussi un savant?

Voudrais-tu construire Astro le robot?
Voilà ta chance!

Ta mission

En équipe, tu auras à construire avec tes coéquipiers et coéquipières Astro le robot. Ta mission te permettra de connaître les caractéristiques des solides et d'en construire quelques-uns. De plus, tu pourras associer un solide aux figures planes qui composent toutes ses faces. Tu pourras aussi les compter et les mesurer.

Tu auras réussi ta mission si...

■ Tu classifies des solides selon des caractéristiques communes.

■⬢ Tu décris les solides d'après le nombre de leurs faces et d'après leur base.

■ Tu décomposes un solide et le reconstitues.

■ Tu associes un solide aux figures planes qui composent ses faces.

■●CT Tu construis ton robot avec des mesures appropriées.

⬢ Tu utilises correctement le vocabulaire et les symboles mathématiques pour présenter ton robot.

CT Tu entretiens de bonnes relations avec tes camarades.

CT Tu t'impliques activement à la réalisation du projet.

Tu reconnais l'importance des sciences dans certaines professions ou métiers.

Suis-je alors un robot savant?

Es-tu du même avis que ?
Explique-toi.

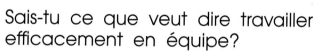

2e temps La réalisation

Consignes

1. **CT** Place-toi en équipe.

Sais-tu ce que veut dire travailler efficacement en équipe?

Bien sûr, c'est lorsque deux ou plusieurs camarades travaillent ensemble pour réaliser une tâche ou un projet! Mais avant de commencer, il faut savoir planifier et organiser le travail.

Sais-tu ce qu'il faut faire pour bien travailler en équipe?

 Discutez-en entre camarades.

Observez ce qui se passe dans cette équipe.

C'est moi qui voulais construire la tête d'Astro.

Non, c'est moi qui l'ai dit le premier. Si ce n'est pas moi qui la construis, je ne travaille plus avec vous.

C'est un travail d'équipe, on partage les tâches.

Comment pouvons-nous aider les membres de cette équipe à régler leur conflit? Cherchons ensemble différentes solutions possibles.

Voici ce que je fais dans une telle situation.

- Je prends le temps de me calmer;
- Je m'excuse;
- Mes camarades et moi cherchons ensemble une solution:
  - je répare,
  - je fais un compromis,
  - je partage,
  - j'écoute respectueusement les opinions de mes camarades;
- Si ça ne marche pas, je cherche d'autres solutions et j'en parle à mon enseignant ou mon enseignante.

2.  Choisissez votre matériel.

Quel matériel aurons-nous besoin pour accomplir notre mission?

 Comment pouvons-nous nous le procurer?

■ ⬡ Pour construire Astro le robot, est-il préférable d'utiliser des figures planes ou des solides? Pourquoi?

SORTIE / **Un instant**

Peux-tu dire en quoi certains solides sont semblables et en quoi ils peuvent être différents?

 Oui

 Non

J'ai besoin d'une activité spécifique.

Un déménagement bien solide!

T'est-il déjà arrivé de vivre un déménagement?
Raconte ton expérience.
Est-il important de bien emballer ses choses?
Pourquoi?

> Voyons ce qu'il me reste à emballer. Ai-je les formes de boîtes qui conviennent pour emballer toutes mes choses?

1. a) À quelle boîte associerais-tu chacun des objets à emballer?
   Explique le pourquoi de tes choix.

Utilise des mots comme:
- Face courbe
- Face carrée
- Face triangulaire
- Face circulaire
- Face rectangulaire

b) Ces boîtes représentent-elles des solides?
   Pourquoi?
   Où placerais-tu chacune des formes de ces boîtes dans un diagramme?

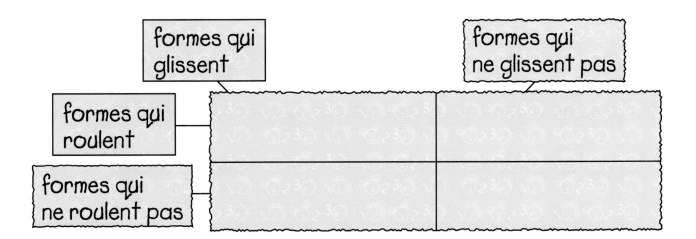

Explique tes classements.

Attention! certains solides
glissent et roulent à la fois.

Connais-tu d'autres formes de solides?

 Fais-en les dessins.
Je me demande s'il existe un solide
qui ne peut ni glisser ni rouler!

Sais-tu si chacun des
solides du diagramme
porte un nom?

Crois-tu qu'il est important de
connaître le nom de chacun de
ces solides? Fais part de ton point
de vue à tes camarades.

2. Repère dans ton environnement des exemples de solides. Discute avec tes camarades des utilisations que les humains en font.

solide	à la maison	dans la classe	ailleurs
Sphère			
Prisme à base triangulaire			
Prisme à base rectangulaire			
Pyramide à base carrée			
Cube			

3. Trouve un moyen pour te souvenir des noms de ces solides et de leurs caractéristiques.

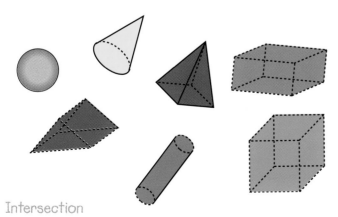

Comment fais-tu pour identifier les solides? Discute de ta stratégie avec tes camarades.

Quelle stratégie te semble la plus efficace?
Pourquoi?

Visite les sites éducatifs concernant les mathématiques sur Internet.

Mémento

Un solide est une figure qui a 3 dimensions.

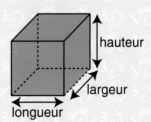

hauteur

largeur

longueur

Le solide est comme une boîte. La boîte peut prendre différentes formes: côtés arrondis, côtés droits.

Un solide peut contenir quelque chose à l'intérieur. Il existe deux grandes classes de solides.

solides qui n'ont pas de face courbe	solides qui ont au moins une face courbe
– les prismes	– le cylindre
– les pyramides	– la sphère
	– le cône

Retour à la tâche

3. ■ ● **CT** As-tu réfléchi aux dimensions d'Astro le robot?

Quelles seront les mesures de chacune des parties de son corps?

SORTIE

Un instant

Sais-tu comment te servir de ta règle pour mesurer des longueurs et des largeurs dans des solides?

 Oui

 Non

J'ai besoin d'une activité spécifique.

Activité spécifique 11D

Cm veut dire centimètre.

1. Ces deux règles sont graduées en cm. Quelle est la longueur de chacun des 3 objets qu'elles mesurent?

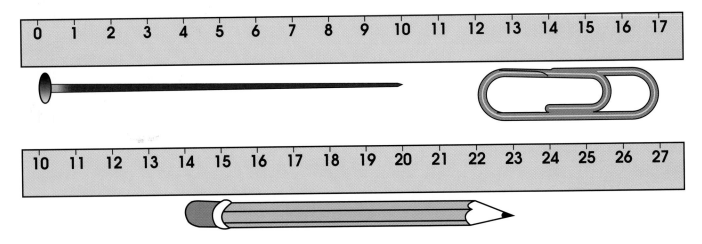

2. Trace une ligne de 7 cm. Es-tu certaine ou certain d'avoir obtenu la mesure exacte? Explique pourquoi.

3. Estime la longueur du contour des figures planes suivantes et vérifie les mesures avec ta règle graduée en cm.

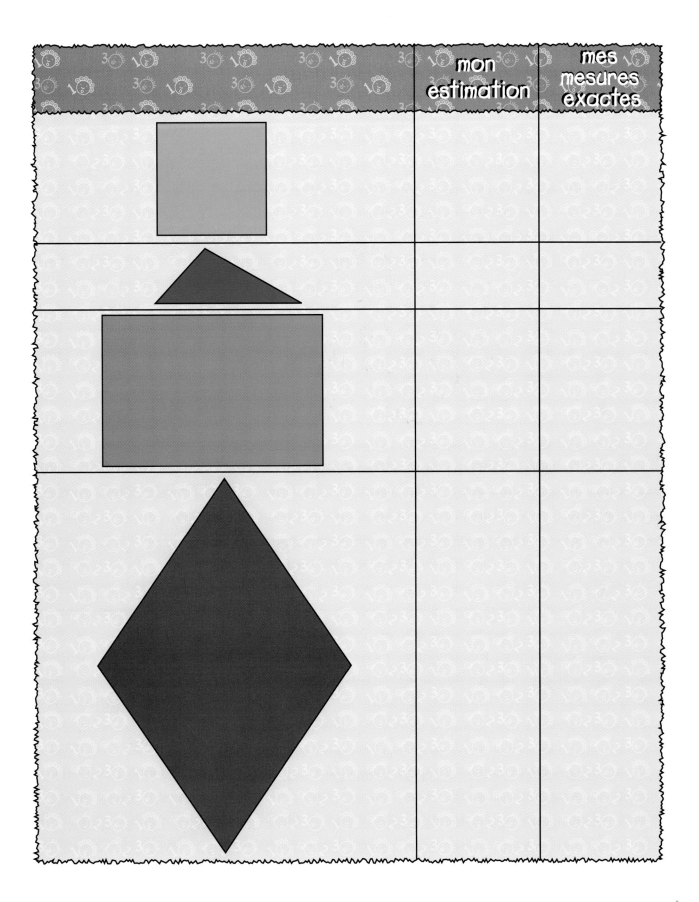

	mon estimation	mes mesures exactes

4. Trace un cube dont la mesure de chacun de ses côtés est de 14 cm.

Je suis aussi un prisme.

Voici ma stratégie de dessin d'un cube.

1.	Je dessine avec ma règle un carré. Je prends bien soin de donner les mêmes mesures à chacun des côtés.	
2.	Avec ma règle, je relie ensemble les coins opposés de mon carré. Cela me donne ⊠.	
3.	Je trace un point à la rencontre des deux lignes du ╳.	
4.	À partir de ce point, je trace avec ma règle un deuxième carré qui a la même mesure que le premier carré.	
5.	Avec ma règle, je relie les coins correspondants des deux carrés.	1ᵉʳ carré 2ᵉ carré
6.	J'efface les lignes pointillées. Et voilà! le tour est joué.	

Intersection

Ta règle est un instrument qui sert à tracer des lignes droites.

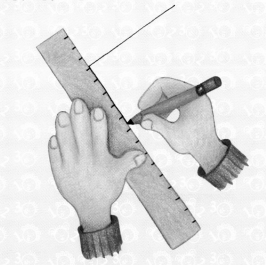

Ta règle sert aussi à mesurer différentes longueurs et largeurs.

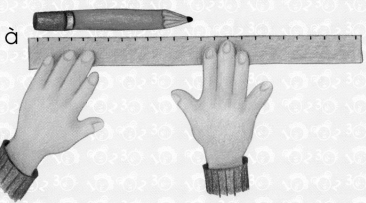

Pour mesurer des centimètres avec une règle:

on place un bout de l'objet à mesurer vis-à-vis le premier trait gradué de la règle, comme sur l'image;

puis on regarde vis-à-vis quel trait sur la règle l'autre bout de l'objet à mesurer arrive; et on calcule à quelle mesure ce trait correspond.

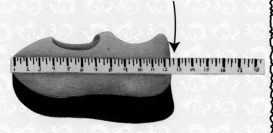

4. ■ **et et et**

Construisez vos solides avec du carton.

Vous pouvez utiliser du carton ayant déjà servi.

SORTIE / Un instant

Sais-tu comment construire des solides au moyen de figures planes?

Oui

Non

J'ai besoin d'une activité spécifique.

Les faces des solides perdent la face!

Activité spécifique **11** E

1. Observe attentivement chacune des faces de ce prisme.

Qu'en penses-tu?

Suis-je aussi un cube?

2. Serais-tu capable de reproduire chacune de ses faces sur du carton?
Comment feras-tu?

J'ai une idée! Si je défais ce prisme, je verrai comment il est construit. J'obtiens des rectangles.

Es-tu d'accord avec ce qu'affirme Modélisa? Pourquoi?

 3. Complète le tableau.

 Sers-toi de ton matériel!

solide	nombre de faces	nombre de:			
		cercles	carrés	triangles	rectangles

4. Peux-tu dire quelle est la forme de la base de ces solides?

	solide	base
a)	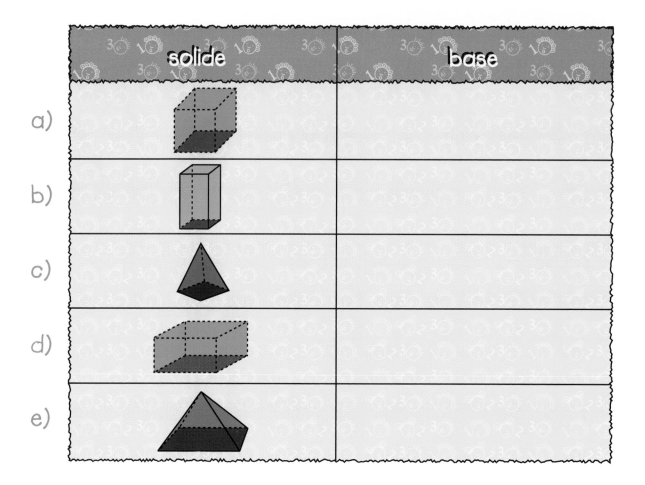	
b)		
c)		
d)		
e)		

Je me demande si une ⬤, un ⬢ et un

△ ont aussi une base? Le sais-tu, toi?

Conserve ces informations dans ton journal.

Ce solide est un prisme. C'est aussi un cube.

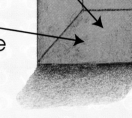

faces carrées

base de forme carrée

Il est composé de 6 faces.
Chacune de ses faces est un carré.
Il a aussi une base carrée.

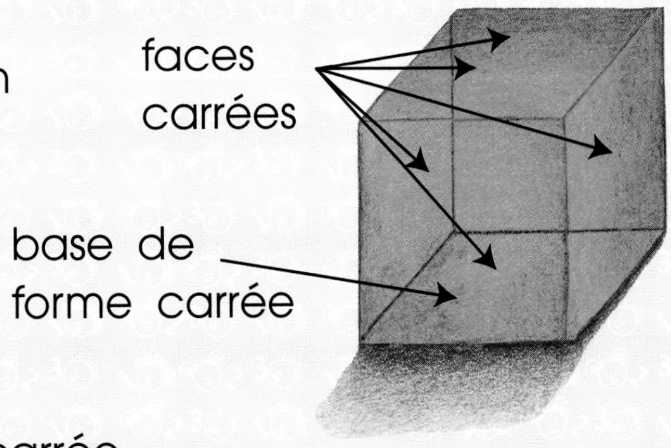

Ce solide est une pyramide.

Quatre de ses faces sont des triangles.
Sa base est de forme carrée.

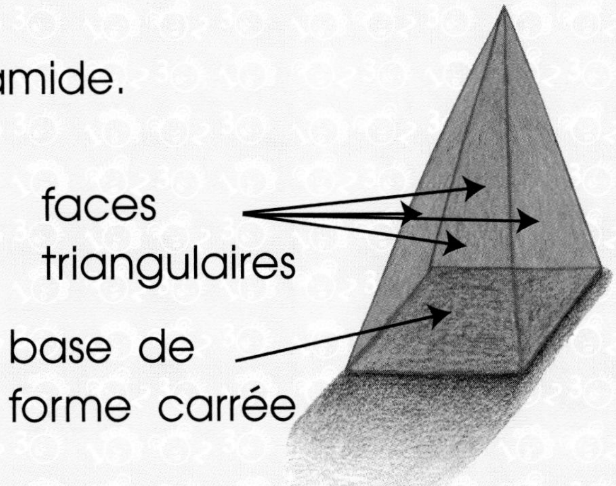

faces triangulaires

base de forme carrée

Ce solide est une sphère. Ce n'est ni un prisme, ni une pyramide.

Toute sa surface peut rouler.

Évaluation

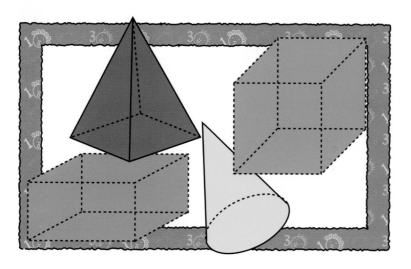

Contenu mathématique

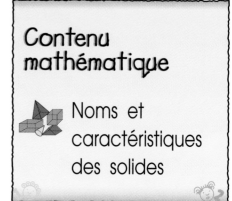

Noms et caractéristiques des solides

1. Reproduis ce tableau et complète-le.

solide	nombre de faces	nombre de:				forme de la base
		cercles	carrés	triangles	rectangles	

Conserve ces précieux renseignements dans ton journal.

2. Identifie tous les solides utilisés pour construire ce totem.

Retour à la tâche

Voyons si tout est prêt:
- L'équipe est formée,
- Les bureaux sont placés,
- Les rôles sont définis,
- Les règles sont connues,
- Le matériel est là.

5. **OT OT** Construisez votre robot.

J'ai hâte de commencer!

Quand Astro le robot sera terminé, que diriez-vous de le peindre ou de le décorer?

C'est une excellente idée! Nous devons toujours finir notre projet.

6. ▢ ⬡ 𝗚𝗧 Préparez-vous à expliquer aux autres équipes comment vous avez procédé pour la construction de votre robot.

Il faudra aussi en profiter pour nommer les solides qui ont servi à sa confection et en donner les caractéristiques.

C'est maintenant le temps d'établir notre plan pour présenter notre robot.

Qui dira comment nous l'avons construit?
Qui dira avec quoi nous l'avons construit?
Qui nommera les solides que nous avons utilisés?
Qui parlera de leurs caractéristiques?

Consultez votre journal pour revoir certaines
informations.

1. Faites votre présentation.

Courage, ça va bien aller!

Je suis un peu nerveuse,
et toi?

3ᵉ temps L'intégration et le réinvestissement

Penses-tu avoir réussi ta mission? Pourquoi?
Dis ce que tu as appris.
Dis ce que tu as le plus aimé dans cette tâche.
Qui as-tu consulté pour t'aider à construire Astro?
As-tu aidé un ou une camarade? Comment?
Dans ton équipe, a-t-on fait preuve de
compréhension, d'acceptation et de respect à
ton égard? T'a-t-on écouté ou écoutée?

Je me suis bien amusé dans cette tâche et en même temps j'ai fait beaucoup d'apprentissages sur les solides. Maintenant, je suis un expert en la matière!

Je suis prêt pour une autre aventure. Et toi?

Mais avant, évalue ta participation au travail d'équipe en utilisant la grille que ton enseignant ou ton enseignante te remettra.

Insère cette grille dans ton portfolio.

Fais une recherche dans la section des noms propres de ton dictionnaire. Trouve un savant ou une savante et écris sa biographie.
Fais part de ta recherche à tes camarades, ils et elles feront la même chose pour toi.

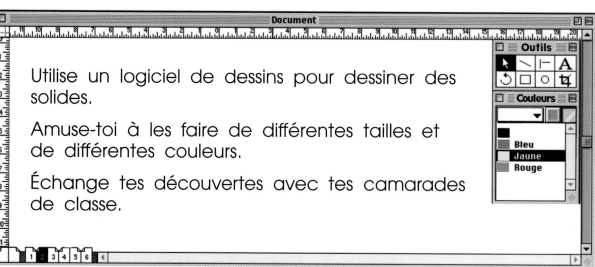

Utilise un logiciel de dessins pour dessiner des solides.

Amuse-toi à les faire de différentes tailles et de différentes couleurs.

Échange tes découvertes avec tes camarades de classe.

Construis ta carte d'association d'idées.

Trouve un moyen pour dire ce que tu sais sur les notions de la séquence 11.

Géométrie

Frises et dallages

Solides: Comparaison et construction

Solides: Nombre de faces et base des prismes et des pyramides

Identification de figures planes

Nombres et opérations

Valeurs de position

Lecture et écriture des nombres

Sens de la fraction

Échanges et équivalences

Origine et création des nombres

Évolution dans l'écriture des nombres

Mesure

Mesures de longueur

Mesures en cm

Peux-tu faire des liens entre ces notions mathématiques?
Si oui, lesquels?
Si non, pourquoi?

Le coin de la récréation

bla, bla, bla

Ma calculatrice , quelle bavarde!

Ta  peut-elle parler? Enfin, presque.

Appuie sur les touches suivantes, et elle te saluera si tu la places la tête en bas.

`0` `·` `7` `7` `3` `4`

As-tu le goût de communiquer avec elle? Effectue les additions et les soustractions suivantes et elle te parlera.

1. Transcris en 2 colonnes les opérations et les mots dans ton cahier.

   Relie par une flèche chacune des opérations au mot que tu obtiendras en tournant ta calculatrice

mes opérations	les mots sur ma
112 + 425	GEL
111 + 502 + 123	SOI
356 – 251	LES
854 + 145 – 291	BOL
349 – 235 + 143 – 150	SOL

As-tu découvert son code?

Trouve les lettres de l'alphabet que ta calculatrice peut utiliser.

2. Si on donne à ta calculatrice une équation qui égalera 735, elle écrira SEL.
   Y a-t-il plusieurs façons de lui faire dire SEL?
   Invente différentes manières de lui faire dire SEL.
   Comment prévois-tu procéder?
   Discutes-en avec tes camarades.

3. Invente des opérations pour que ta calculatrice écrive des mots. Échange tes créations avec un ou une camarade qui fera la même chose pour toi.

Fais connaissance avec les pièces du jeu d'échecs

Es-tu intrigué par le jeu d'échecs?
Es-tu intéressé à mieux le connaître?
Trouve-toi un ou une camarade et
lisez attentivement les informations
suivantes.

Un jeu d'échecs comprend 32 pièces:
16 pièces blanches pour un joueur et
16 pièces noires pour l'autre joueur.

Il y a 6 sortes de pièces.

1. Le roi

Le roi blanc
Le roi noir
Dans un jeu, il y a un roi blanc et un roi noir.

2. La dame

La dame blanche
La dame noire
Dans un jeu, il y a une dame blanche et
une dame noire.

3. La tour

La tour blanche
La tour noire
Dans un jeu, il y a deux tours blanches et deux tours noires.

4. Le fou

Le fou blanc
Le fou noir
Dans un jeu, il y a deux fous blancs et deux fous noirs.

5. Le cavalier

Le cavalier blanc
Le cavalier noir
Dans un jeu, il y a deux cavaliers blancs et deux cavaliers noirs.

6. Le pion

Le pion blanc
Le pion noir
Dans un jeu, il y a huit pions blancs et huit pions noirs.

Voici la position de chacune des pièces sur l'échiquier.

Un échiquier est comme le champ de bataille où vont se livrer de passionnants combats de stratégies.

Le but du jeu consiste à mettre le roi adverse «échec et mat».

En vedette aujourd'hui:
Les mouvements du pion

Toutes les informations sont données pour le pion noir. Ce sont exactement les mêmes pour le pion blanc.

1. Dans un jeu d'échecs, il y a 8 pions blancs et 8 pions noirs.

2. Le pion se déplace à la verticale, en avançant en ligne droite. Il ne recule jamais.

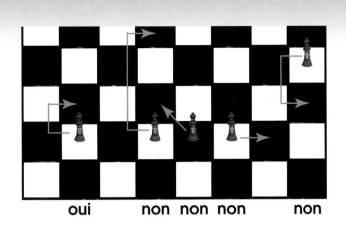

oui   non non non   non

3. Lorsque c'est le premier déplacement d'un
    de tes pions, tu peux choisir de le déplacer
    en le faisant avancer soit d'une case, soit
    de deux cases. Par la suite, ce pion ne
    pourra avancer que d'une seule case à
    la fois.

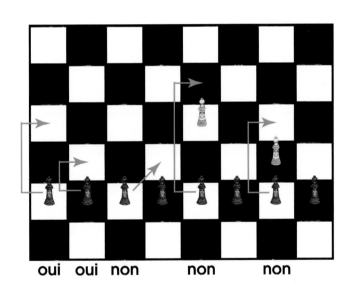

oui   oui   non   non   non

4. Un pion ne peut jamais sauter par-
    dessus une autre pièce.

non   **non**   **oui**

5. Un pion peut prendre n'importe quelle pièce adverse qui se trouve dans la case voisine en diagonale. Mais tu n'es pas obligé de prendre cette pièce.

oui   **oui**   **non**   **non**

Le pion prend alors la place de la pièce
qui a été prise.

As-tu bien compris les règles
du jeu?
Essaie alors le jeu suivant avec
les pions. Il te permettra de
mieux connaître leurs
mouvements.

Jeu des mouvements des pions

1. Disposez les pions sur votre échiquier comme
ceci. Ce sera toujours leur place de départ.

2. Les blancs commencent. Déterminez lequel d'entre vous aura les pions blancs.

3. Vous jouerez chacun et chacune à votre tour et vous déplacerez une seule pièce à la fois.

4. Un pion ne pourra prendre qu'une seule pièce adverse par déplacement.

5. Le gagnant ou la gagnante sera celui ou celle qui réussira à rendre un de ses pions à l'autre bout de l'échiquier.

As-tu trouvé cette partie d'échecs captivante?
Pourquoi ne pas organiser un mini-tournoi d'échecs avec tes camarades de classe?

Le jardin zoologique

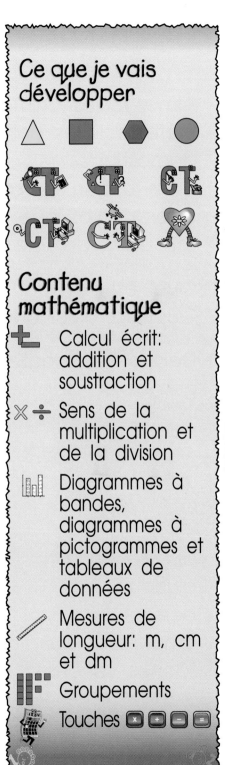

Ce que je vais développer

Contenu mathématique

Calcul écrit: addition et soustraction

Sens de la multiplication et de la division

Diagrammes à bandes, diagrammes à pictogrammes et tableaux de données

Mesures de longueur: m, cm et dm

Groupements

Touches

Les animaux et leurs modes de vie ont toujours fasciné les humains.

Aimes-tu les animaux?
Préfères-tu les animaux sauvages ou les animaux domestiques?
Crois-tu que les animaux sauvages sont plus débrouillards que les animaux domestiques? Explique ton point de vue.

Quel est l'animal sauvage qui te fascine le plus?
Quel est celui qui te fascine le moins?

Depuis très longtemps, des animaux sauvages sont gardés en captivité dans les jardins zoologiques.

Pourquoi les garde-t-on en captivité?
D'après toi, est-ce une bonne idée?

Le zoo compte plusieurs personnes employées aux tâches variées.

Ils et elles font un travail fascinant!

Bonjour, je suis Élisabeth.
Je suis éducatrice au zoo.
Ma tâche consiste à donner des informations sur les animaux aux visiteurs.
À l'occasion, j'aide les responsables des animaux dans leur travail.

D'après toi, quelles sont les qualités requises pour exercer le métier d'éducateur ou d'éducatrice dans un zoo?

Plusieurs villes possèdent un jardin zoologique.
En connais-tu quelques-unes?
As-tu déjà visité un zoo?
Aimerais-tu en visiter un?

Suis-moi et tu découvriras comment!

Crois-tu que les zoos ont un rôle à jouer dans la conservation des espèces sauvages, dans la recherche en zoologie et dans l'éducation du public?

Intersection

quatre-vingt-cinq **85**

Ta mission

Tes camarades et toi allez préparer un sentier écologique.

En plus de te faire connaître les différentes facettes du zoo, ta mission te permettra d'en savoir plus sur les groupements et sur les mesures. Tu apprendras aussi à additionner et à soustraire des nombres, puis à t'initier à la multiplication et à la division. Tu apprendras aussi comment fonctionnent les touches  de ta .

Enfin, tu seras amené ou amenée à représenter des données sous forme de diagrammes à bandes et de diagrammes à pictogrammes.

Tu auras réussi ta mission si...

 Tu réalises ta fiche d'identification animalière pour le sentier écologique.

 Tu utilises l'ordinateur pour la recherche d'informations.

Tu échanges des informations sur les animaux sauvages.

Tu participes bien à la réalisation du sentier écologique.

 Tu choisis le matériel qui te sera utile.

 Tu évalues les conséquences des gestes et les actions que les hommes portent sur l'environnement.

 Tu trouves des exemples d'actions qui améliorent l'environnement des animaux.

 Tu additionnes et soustrais correctement.

 Tu ordonnes des nombres dans l'ordre croissant et dans l'ordre décroissant.

Tu construis des diagrammes à bandes, des diagrammes à pictogrammes et des tableaux de données.

■ Tu mesures des longueurs.

■ Tu explores la multiplication.

■ Tu utilises correctement notre système de numération.

⬡ Tu communiques des informations à l'aide du langage mathématique.

⬤ Tu constates l'utilité des mathématiques dans ta vie de tous les jours.

2ᵉ temps La réalisation

Consignes

1. a) ■ **CT** Réalise la fiche d'identification de ton animal sauvage préféré.

Rappelle-toi les étapes du travail de recherche:

- Choisis l'animal sauvage qui te plaît le plus;
- Recherche des informations sur cet animal;
- Sélectionne l'information: conserve seulement l'information intéressante;
- Produis un brouillon de ta fiche d'identification;
- Relis tes phrases, corrige tes erreurs et vérifie si toutes les informations sont présentes;
- Rédige au propre ta fiche d'identification;
- Dessine ton animal.

● CT Tu peux consulter des livres à la bibliothèque de ton école ou à celle de ta municipalité. Interroge aussi Internet.

b) ■ Complète ton texte en rédigeant une question sur ton animal dont la réponse demande d'additionner et de soustraire des nombres à trois chiffres.

SORTIE **Un instant**

Sais-tu comment additionner et soustraire des nombres à trois chiffres?

 Oui

 Non

J'ai besoin d'une activité spécifique.

Les reptiles du zoo Ozo!

1. L'année dernière le zoo Ozo possédait les reptiles numérotés de 246 à 348.

    Estime combien de reptiles le zoo Ozo hébergeait l'an passé.

   Trouve le résultat à l'aide de ta .

   Compare ce résultat à celui de ton estimation.

   Referas-tu le calcul? Pourquoi?

2. Cette année, le zoo a adopté de nouveaux reptiles: les numéros 349 à 452.
   Combien de reptiles le zoo possède-t-il cette année?
   Combien en possède-t-il de plus que l'an passé?

   Quelle opération mathématique te permettra de trouver chacune des réponses? Justifie ton point de vue.

    Effectue tes calculs en utilisant le matériel de ton choix, sauf ta !

    Souviens-toi des caractéristiques de notre système de numération. Utilise un tableau de valeurs de position.

Intersection

Il y a bien des façons de calculer 241 – 158. En voici une.

241		
centaines	dizaines	unités
2	4	1

→

241		
centaines	dizaines	unités
1	13	11
1	130	11

→

241 – 158		
centaines	dizaines	unités
	8	3
	8	3

Ta réponse est-elle exacte?
En es-tu certain ou certaine?
Pourquoi? Vérifie ton travail par une autre méthode.

3. Combien de reptiles le zoo Ozo a-t-il accueillis durant ces deux années?

Effectue différents calculs pour vérifier ta réponse.

Expliquez-vous vos façons de procéder!

Quel procédé de calcul trouves-tu le plus efficace? Pourquoi?

4. Fais une prédiction. Estime combien de reptiles le zoo hébergera l'an prochain.

Dis dans tes mots ce que tu as compris du problème.

Raconte quand tu as fait une addition ou une soustraction ailleurs qu'à l'école.

opération	addition	soustraction
Exemple	Paul a 18 billes. Il en gagne 35. Combien de billes Paul a-t-il maintenant? Réponse: il en a 53.	Pauline a 24 auto-collants de clown dans sa collection. Paul en a 15. Combien d'autocollants Pauline a-t-elle de plus que Paul? Réponse: elle en a 9 de plus.
Procédé de calcul	1 18 → + 35 → 4(13) ← 53 ←	1(10) 24 → − 15 9 ←
Nom du résultat	53 est la **somme** de 18 + 35.	9 est la **différence** entre 24 et 15.
Nom des termes	18 et 35 sont les termes de la somme. 18 est le premier terme et 35 est le second terme.	24 et 15 sont les termes de la différence. 24 est le premier terme et 15 est le second terme.
Ce que veut dire l'opération	ce qu'il faut ajouter	ce qu'il faut enlever ce qui reste ce qui manque ce qu'il y a de moins

Attention! Le signe **égal** (=) ne sert pas toujours à effectuer un algorithme ou à donner une réponse mathématique. Il peut aussi servir à donner une information.

Exemple: Voici une suite de nombres 12, 13, 14, 15, 16.

Les nombres pairs = 12, 14, 16

Les nombres impairs = 13, 15

C T Échangez des informations sur vos animaux respectifs. Trouvez les réponses aux additions et aux soustractions soumises par chacun et chacune d'entre vous.

2. △ ■ Placez vos animaux dans l'ordre croissant d'après leur grandeur réelle.

SORTIE ## Un instant

Connais-tu une méthode efficace pour ordonner les nombres dans l'ordre croissant ou dans l'ordre décroissant?

 Oui

 Non

J'ai besoin d'une activité spécifique.

Le pavillon de la santé animale

C'est le moment de l'examen médical annuel. Cette vétérinaire doit anesthésier l'animal et procéder aux tests médicaux. Pour endormir l'animal, la vétérinaire lui injecte un produit anesthésiant. Une fois l'animal endormi, on le transporte à la clinique pour l'examen.

L'examen de routine comprend:
- un prélèvement sanguin;
- l'examen des oreilles;
- l'examen des yeux;
- l'écoute du coeur;
- la pesée de l'animal;
- le nettoyage des dents;
- la mesure de l'animal.

As-tu déjà passé un examen de santé à l'hôpital?

Vois-tu des ressemblances et des différences entre l'examen d'un animal et le tien?

Mais comment fait cette vétérinaire pour reconnaître chaque animal?

Pour éviter les erreurs, chaque animal est identifié. Il existe différents moyens. On peut tatouer l'animal, placer une étiquette sur son oreille, le prendre en photo ou lui injecter une micropuce sous la peau.

Observe les animaux examinés par la vétérinaire du zoo.

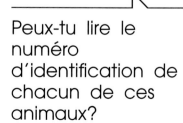

Peux-tu lire le numéro d'identification de chacun de ces animaux?

 Pour mieux s'organiser, la vétérinaire du zoo ordonne les numéros. Elle les place du plus petit au plus grand.

CT Mais comment fera-t-elle pour les placer dans l'ordre croissant? Existe-t-il une méthode plus efficace que les autres?

1. Place dans l'ordre croissant les numéros de la liste d'animaux.

tortue	772	girafe	660	tigre	847
phoque	420	lion	272	flamant rose	90
éléphant	86	koala	115	toucan	504
ours polaire	453	boa	389		

2. Classe les noms des animaux de la liste dans l'ordre alphabétique. Cet ordre changera-t-il l'ordre croissant des numéros? Pourquoi?

Utilise le dictionnaire.

Serait-il possible que l'ordre alphabétique soit le même que l'ordre croissant d'une liste de numéros d'animaux? Explique-toi.

L'ordre

L'ordre est *croissant* si les nombres sont écrits du plus petit au plus grand.

L'ordre est *décroissant* si les nombres sont écrits du plus grand au plus petit.

On peut utiliser les symboles < et > pour représenter l'ordre des nombres.

> se lit «est plus grand que».
< se lit «est plus petit que».

Exemple:
Voici des nombres: 218, 812, 106, 56, 80, 420, 65, 610.

Les voici placés dans l'ordre croissant:
56 < 65 < 80 < 106 < 218 < 420 < 610 < 812

Les voici placés dans l'ordre décroissant:
812 > 610 > 420 > 218 > 106 > 80 > 65 > 56

Retour à la tâche

3. Produisez des diagrammes pour illustrer la grandeur approximative et la masse approximative de chacun de vos animaux. Faites vos choix parmi les diagrammes suivants:

a) Le diagramme à bandes verticales;

b) Le diagramme à bandes horizontales;

c) Le diagramme à pictogrammes.

Fais un montage. Coupe une ficelle pour représenter la taille de ton animal.

Es-tu capable de représenter des informations à l'aide de diagrammes à bandes et de diagrammes à pictogrammes?

Oui

Non

J'ai besoin d'une activité spécifique.

**Pique et Pictogrammes
Gramme et Diagrammes!**

Activité spécifique *12*C

Voici un tableau de données sur la relation entre les espèces animales et leur masse approximative.

Espèces animales et masses corporelles		
espèce	sexe	masse approximative
Ourse noire	F	60 kg
Ours noir	M	70 kg
Ourse polaire	F	900 kg
Ours polaire	M	900 kg
Girafe	F	900 kg
Girafe	M	900 kg
Gorille	F	100 kg
Gorille	M	200 kg

1. a) Consulte le tableau précédent pour produire un diagramme à pictogrammes afin de représenter la relation entre les espèces animales et leur masse approximative.

Voici la structure d'un diagramme à pictogrammes.
Ce diagramme illustre l'animal de compagnie des camarades de Yoram.

L'animal de compagnie des camarades de Yoram

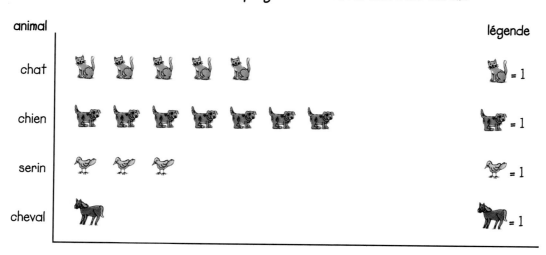

Identifie:

☺ le titre du diagramme;

☺ l'animal le plus populaire et celui qui est le moins populaire;

☺ le nombre de camarades qui ont répondu à l'enquête de Yoram.

b) Écris des questions concernant le diagramme à pictogrammes que tu as à produire pour représenter la relation entre les espèces animales et leur masse approximative. Propose à tes camarades d'y répondre.

Voici un autre tableau de données. Il représente la relation entre les espèces animales et leur longueur approximative.

Espèces animales et longueurs corporelles		
espèce	sexe	longueur approximative
Panthère	F	1 m 35 cm
Panthère	M	1 m 50 cm
Lynx	F	126 cm
Lynx	M	130 cm
Éléphante	F	3 m 45 cm
Éléphant	M	4 m
Hippopotame	F	1 m 20 cm
Hippopotame	M	1 m 50 cm
Dromadaire	F	2 m
Dromadaire	M	3 m
Bison	F	1 m 45 cm
Bison	M	1 m 50 cm
Rhinocéros	F	1 m 40 cm
Rhinocéros	M	2 m 25 cm

2. Consulte ce tableau pour produire soit un diagramme à bandes horizontales, soit un diagramme à bandes verticales pour représenter la relation entre les espèces animales et leur longueur approximative.

Voici la structure d'un diagramme à bandes verticales.

Ce diagramme illustre les jeux préférés des élèves du 1er cycle de l'École Paspire.

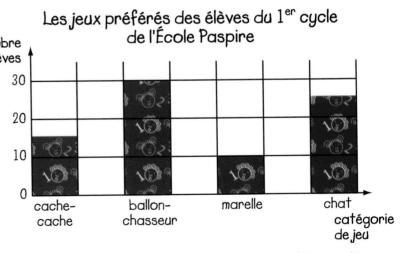

Les jeux préférés des élèves du 1er cycle de l'École Paspire

Intersection

Voici la structure d'un diagramme à bandes horizontales qui représente la même situation.

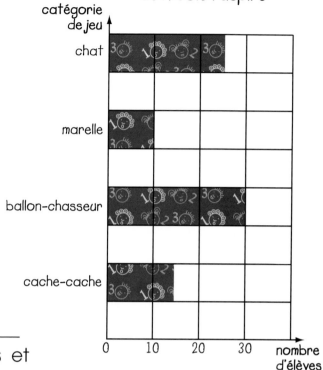

Quelles sont les ressemblances et les différences entre les deux diagrammes? Explique ce que signifie chacune de leurs bandes.

Quels renseignements les deux diagrammes à bandes te révèlent-ils?

Que peux-tu faire pour le savoir?

Trouve une situation de ta vie où il est important d'utiliser des diagrammes. Explique-toi.

Parmi les 3 diagrammes qui t'ont été présentés, lequel trouves-tu le plus facile à comprendre? Pourquoi?

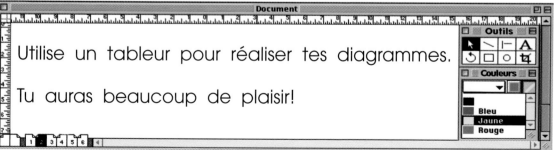

Utilise un tableur pour réaliser tes diagrammes.

Tu auras beaucoup de plaisir!

Mémento

Des diagrammes qui parlent

Après avoir organisé les informations dans un tableau de données, on construit des diagrammes pour mieux représenter les informations.

Retour à la tâche

4. 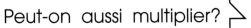 Que mange ton animal sauvage préféré? Quelle quantité de nourriture mange-t-il par jour? par semaine?

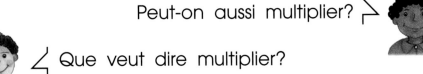

Quelle opération te permettra de trouver la solution à chacune de ces questions?

Peut-on aussi multiplier?

Que veut dire multiplier?

SORTIE **Un instant**

Sais-tu pourquoi et comment faire une multiplication?

 Oui

 Non

J'ai besoin d'une activité spécifique.

La cuisine

Des centaines
d'animaux, ça
«bouffe» énormément!

1.

La cuisinière a préparé le
repas des carnivores. Combien
de proies leur apportera-t-elle
par semaine?

Observe ce que font
les élèves de cette équipe.
Dans leur tableau de données:
1 représente 1 proie.

Expliquez-vous vos démarches.
Comparez-les.

2. Si chaque animal mange 2 proies par jour, combien de carnivores le zoo héberge-t-il?
Comment représenteras-tu la situation?

Rappelle-toi la notion de groupements.

Tu auras certainement besoin de matériel pour résoudre ce problème.

3. Aimerais-tu avoir un aperçu de la quantité de nourriture consommée par jour par le castor?

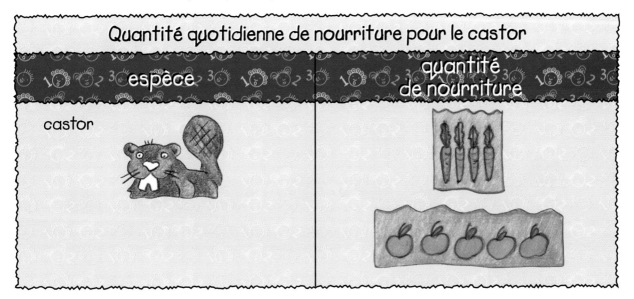

Quantité quotidienne de nourriture pour le castor

espèce	quantité de nourriture
castor	

 Combien de sacs de carottes et de sacs de pommes faut-il pour nourrir le castor hebdomadairement?
Combien cela fait-il de carottes? de pommes? Écris une phrase d'addition pour représenter tes solutions.

4. Explique comment tu sais qu'il y a le même nombre de balles de foin dans ces trois fenils.

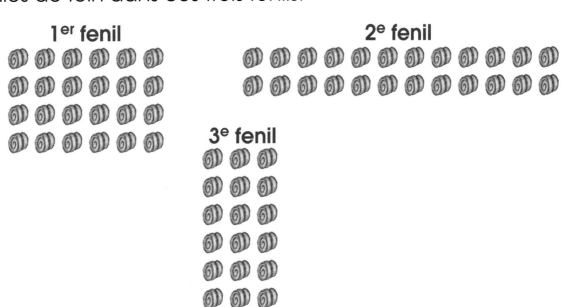

1er fenil

2e fenil

3e fenil

5. Ce porc-épic 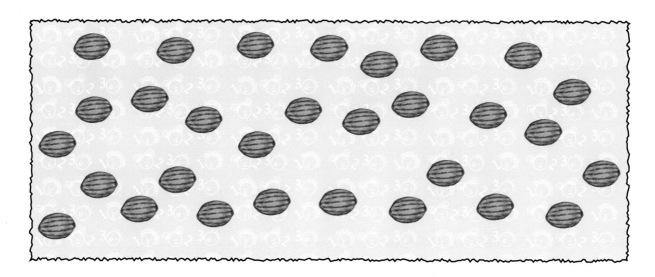 aime beaucoup les melons d'eau.

Prends autant de jetons qu'il y a de melons d'eau. Dispose-les en autant de regroupements différents que tu le pourras. Écris une phrase d'addition et une phrase de multiplication pour chacun des regroupements.

Quelles ressemblances et quelles différences y a-t-il entre additionner et multiplier?

Selon toi, pourquoi a-t-on inventé la multiplication?

Pourquoi faire des multiplications?

Les multiplications aident au comptage d'objets.

Il y a plusieurs façons de calculer: 7 + 7 + 7 + 7 = 28

En voici quelques-unes.

1. Je peux utiliser du matériel comme des jetons, des billes, des dessins...

   7　　+　　7　　+　　7　　+　　7　= 28 lapins

2. Je peux compter 7 par 7:
   7, 14, 21, 28

3. Je peux aussi représenter le même problème en faisant un groupement en 7 rangées de 4 ou 4 rangées de 7.

   Une fois que les groupements sont faits, l'addition répétée ou la multiplication permet de trouver le résultat.

4	7
4	7
4	7
4	+ 7
4	——
4	28
+ 4	
——	
28	

Le service d'entretien

Les employés du service d'entretien et de construction travaillent très fort surtout après la fermeture du zoo à l'annonce de l'hiver.

L'automne est un temps privilégié pour entreprendre des projets de rénovation et même de construction.

Ils doivent inspecter tous les bâtiments et toutes les cages des animaux et faire les réparations nécessaires.

Pendant leur tournée, les employés ont noté les réparations suivantes:

- Solidifier le pont;
- Ajouter quelques pierres au trottoir;
- Changer des barreaux de la cage des harfangs des neiges;
- Refaire la clôture des chèvres de montagne.

⬡ Pour rénover, les employés doivent être très habiles avec les mesures. Pourquoi, selon toi?

5. **CT** ◼ Pour donner une idée plus réaliste de la grandeur de ton animal, dessine l'empreinte d'un de ses pieds. Utilise les mesures exactes.

Si ton animal est un reptile, dessine l'empreinte de son corps bien à plat sur le sol et mesure-la.

Il n'y a pas très longtemps, on prenait l'empreinte des pieds de tous les nouveau-nés dans les hôpitaux du Québec. L'a-t-on fait avec toi? Pose la question à un de tes parents.

SORTIE / Un instant

Crois-tu être habile pour mesurer des objets et pour choisir l'unité de mesure qu'il faut pour les mesurer?

Oui

Non

J'ai besoin d'une activité spécifique.

Pas de mesures!

1. Sans mesurer, trouve des objets:

   ☺ plus longs que 1 m;

   ☺ de 1 m;

   ☺ plus courts que 1 m.

   Te rappelles-tu du mètre?
   C'est un instrument de mesure.

2. Observe le mètre.

   Que remarques-tu?

   Connais-tu l'utilité d'avoir toutes ces petites lignes sur ton mètre?
   Comment les appelle-t-on?
   Comment écrirait-on une mesure?

   Que veulent dire cm, dm et m?

3. Exerce-toi à mesurer.

   Complète le tableau suivant.

Je mesure des objets			
nom de l'objet	je mesure en «cm»	je mesure en «dm»	je mesure en «m»
la hauteur de la porte			
la longueur du tableau			
la largeur de ton livre de mathématique			
la longueur d'un crayon-feutre			

4. Construis un mètre.

En équipe, découpe une bande de carton de la longueur de 1 mètre et gradue ton mètre pour en faire un outil de mesure.

N'oublie pas de représenter les cm et les dm.

5. Sylvia a un chien chiwawa. C'est un tout petit chien. Tous les jours, elle doit le promener dans le parc.

Voici le trajet qu'ils font ensemble.

Échelle
1 centimètre = 1 mètre

Quelle distance en mètres Sylvia et son chien parcourent-ils quotidiennement?

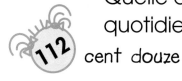

Que cherches-tu?
Quelles sont les informations que tu connais déjà?

N'oublie pas d'écrire une phrase mathématique.
N'oublie pas de laisser des traces de ta démarche.

6. a) Voici le plan et les mesures de l'enclos des chèvres de montagne.

Comment feras-tu pour trouver combien de mètres de broche les employés du service d'entretien auront besoin pour changer l'enclos des chèvres de montagne?

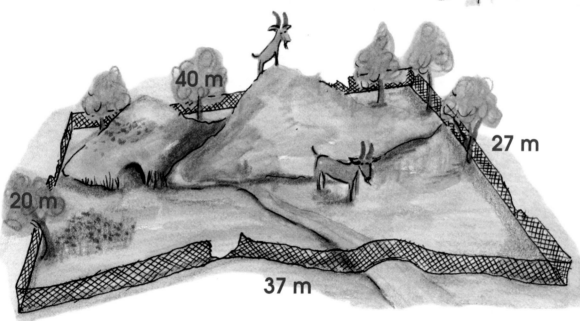

b) Dans un rouleau, il y a 30 mètres de broche. Combien de rouleaux les employés devront-ils utiliser pour changer la clôture au complet?

Vérifie ta solution.

 Laisse les traces de ta démarche.
Fais les calculs.
N'oublie pas d'écrire ta réponse!

Mémento

1. Une mesure est l'évaluation d'une grandeur. On peut mesurer:

a) une longueur
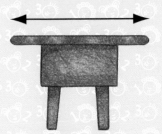
C'est la plus grande dimension d'un objet.

b) une largeur

C'est la plus petite dimension d'un objet.

c) une hauteur

C'est la mesure de la distance entre la base d'un objet et son sommet.

2. Le mètre est l'unité de mesure de base. L'unité de mesure est choisie selon la grandeur de l'objet à mesurer.

Unités de mesure et grandeur d'objets		
unité de mesure	symbole	grandeur des objets
mètre	m	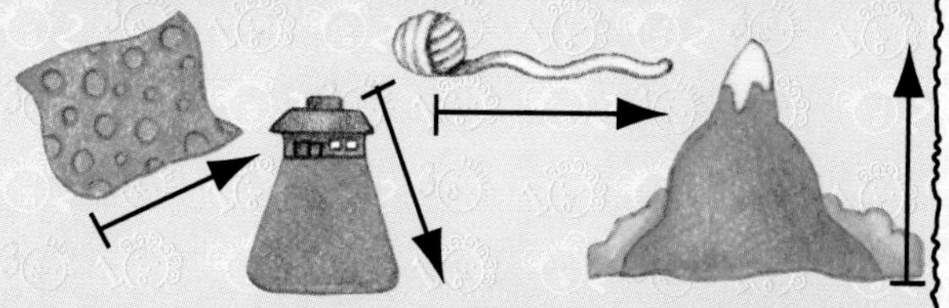
décimètre	dm	
centimètre	cm	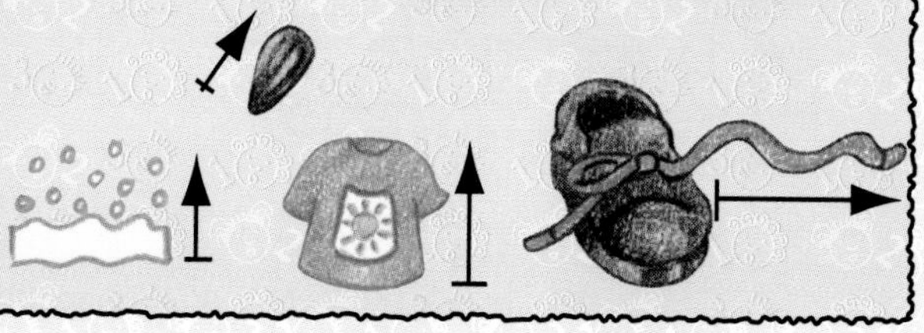

3. Une mesure est toujours formée d'un nombre et d'une unité.

a) 10 dm ou 1 m

b) 23 dm ou 2 m 3 dm

c) 5 dm

d) 18 dm ou 1 m 8 dm

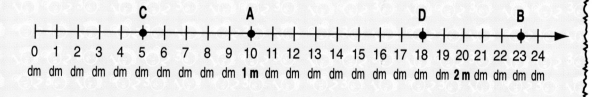

Une longueur est-elle une grandeur? Explique-toi!

6. Préparez votre sentier écologique en faisant le plan du sentier.

Aménagez l'environnement du sentier écologique pour lui donner un air réaliste.

Le sentier écologique

A. Le pavillon de la santé animale

B. La cuisine

C. Le service d'entretien

7.  Trouvez des exemples d'actions que toi et tes camarades pouvez poser pour améliorer l'environnement des animaux.

Toutes ces suggestions peuvent être écrites sur des affiches dans le sentier écologique pour inciter les gens à les mettre en pratique.

Utilise un logiciel de traitement de texte pour faire tes affiches.

8. Exposez vos travaux dans le sentier.

9. Préparez des invitations pour les élèves des autres classes.

Tout est-il prêt pour accueillir les invitées et les invités?

Évaluation

Contenu mathématique

➕ Additions

📏 Mesures de longueur: m, cm et dm

📊 Diagrammes à bandes, diagrammes à pictogrammes et tableaux de données

1. a) Mène une enquête pour déterminer quels seraient les sports préférés de dix élèves de ton groupe.

- ⚬ Prépare ton questionnaire;
- ⚬ Formule tes questions correctement;
- ⚬ Choisis dix de tes camarades;
- ⚬ Rencontre-les;
- ⚬ Pense à la façon de compiler tes résultats.

b) Utilise les résultats de ton enquête pour produire un tableau des données.

Utilise un tableur.

c) Produis un diagramme représentant ces données.

2. Compte le nombre d'élèves qui préfèrent les sports d'hiver, comme le patinage, le hockey, le ski, et ceux qui préfèrent les sports d'été, comme le ballon, le soccer, le baseball, la bicyclette. Que te dévoilent les résultats?

3. Sylvia et Carlos adorent se promener à bicyclette. Tous les jours d'été, ils circulent sur cette piste cyclable.

1 tour = 250 mètres

Quelle distance parcourent Sylvia et Carlos s'ils font 4 tours?

Laisse les traces de ta démarche.

Penses-tu avoir réussi ta mission?

Pourquoi?

Es-tu fière ou fier de toi?

C'est important d'être satisfait ou satisfaite de son travail.

Explique ce qui te rend le plus satisfaite ou satisfait.

Dis ce que tu as appris.

Nomme une difficulté que tu as rencontrée.

Comment as-tu fait pour vaincre cette difficulté?

Évalue ta participation au projet en utilisant les grilles que ton enseignante ou ton enseignant te remettra.

Conserve-les bien dans ton portfolio avec tes productions.

Réinvestis tes nouvelles compétences.
Pars à la découverte de ta .

Le tic tac toc des nombres

Cricri et Najib jouent au tic tac toc des nombres.

C'est un jeu qui ressemble beaucoup au jeu que tu connais.

Pour gagner une partie dans le tic tac toc des nombres, il faut former, à partir de certains indices, une ligne horizontale, ou une ligne verticale ou une ligne oblique avec les nombres inscrits dans une carte de jeu.

Voici la carte de jeu de Najib et celle de Cricri.

carte du jeu de Najib		
12	16	6
4	10	8
18	9	24

carte du jeu de Cricri		
16	10	9
12	4	18
6	8	24

Et voici les indices sur les nombres:

$2 \times 3 =$	$8 \times 3 =$	$4 \times 3 =$	$6 \times 3 =$

Najib dit: «Hourra! j'ai gagné la partie.»
A-t-il raison?

Pour vérifier sa carte de jeu, utilise ta .
Sais-tu comment?

Essaie la séquence d'un indice sur les nombres:
[2] [x] [3] [=].

Observe attentivement ce qui se passe à l'écran de ta calculatrice.

J'appuie sur ces touches	[2]	[x]	[3]	[=]
Ce que je vois à l'écran				6

La réponse donnée par la calculatrice est 6.
As-tu cette même réponse?
Cette réponse a-t-elle du sens?

1. Vérifie avec ta calculatrice les autres indices sur les nombres.
   Selon toi, Najib a-t-il gagné la partie? Pourquoi?

2. Compose à ton tour 2 cartes de jeu de tic tac toc des nombres.
   Utilise les mêmes nombres, mais place-les de façon différente dans tes 2 cartes de jeu.
   Choisis différentes multiplications pour en construire les indices.

3. Trouve toutes les multiplications de 2 termes que tu peux faire avec les chiffres de 1 à 5.
   Écris-les dans ton cahier et note les résultats obtenus par ta calculatrice.
   Y a-t-il des multiplications qui donnent les mêmes résultats? Pourquoi? Classe ensemble les multiplications aux résultats semblables.
   Qu'observes-tu suite à ces classements?

Dernière petite chose avant de te quitter. Vous pourriez, tes camarades et toi, mener une enquête pour découvrir l'animal domestique préféré de chacun. N'oublie pas les étapes importantes pour mener une enquête:

- Bien préparer son questionnaire;
- Rencontrer les élèves et les questionner;
- Évaluer les résultats du questionnaire;
- Les compiler;
- Produire le tableau des données;
- Produire le diagramme pour représenter les informations;
- Interpréter l'information contenue dans le diagramme.

Construis ta carte d'association d'idées.
Trouve un moyen pour dire ce que tu sais sur les
notions mathématiques de la séquence 12.

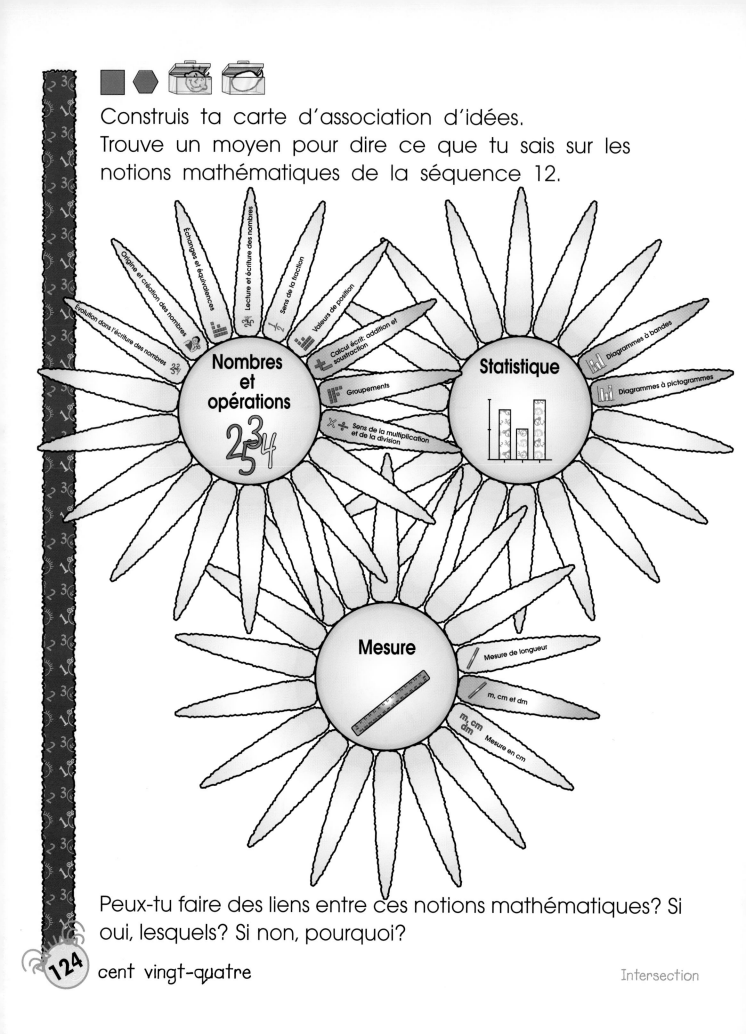

Peux-tu faire des liens entre ces notions mathématiques? Si
oui, lesquels? Si non, pourquoi?

Le coin de la récréation

Le coin de la mathémagie

> Abracadabra!
> Voici la calculatrice qui fait tout apparaître.
> Voici Pitonneuse, la clairvoyante.
> Abracadabra! Bonjour!

Ta calculatrice est une véritable clairvoyante. Elle peut deviner ton nombre secret. Veux-tu essayer ce tour de magie?

Fais la séquence des touches suivantes et 📟, la clairvoyante, te révélera alors un autre de ses grands secrets.

1. Choisis un nombre secret de 1 à 9 et écris-le dans ton cahier ou sur une feuille.
    Affiche-le sur ta calculatrice 📟.

2. Multiplie ton nombre secret par 5:
   (ton nombre secret × 5 =)

3. Additionne 3 à ce nombre:
   (ce nombre + 3 =)

4. Multiplie le nouveau nombre par 2:
   (le nouveau nombre × 2 =)

Observe attentivement cette dernière réponse. Elle te révélera ton nombre secret.

Si tu as bien calculé, le chiffre des dizaines est ton nombre secret.

Essaie encore avec un autre nombre secret de 1 à 9.

As-tu découvert le truc de 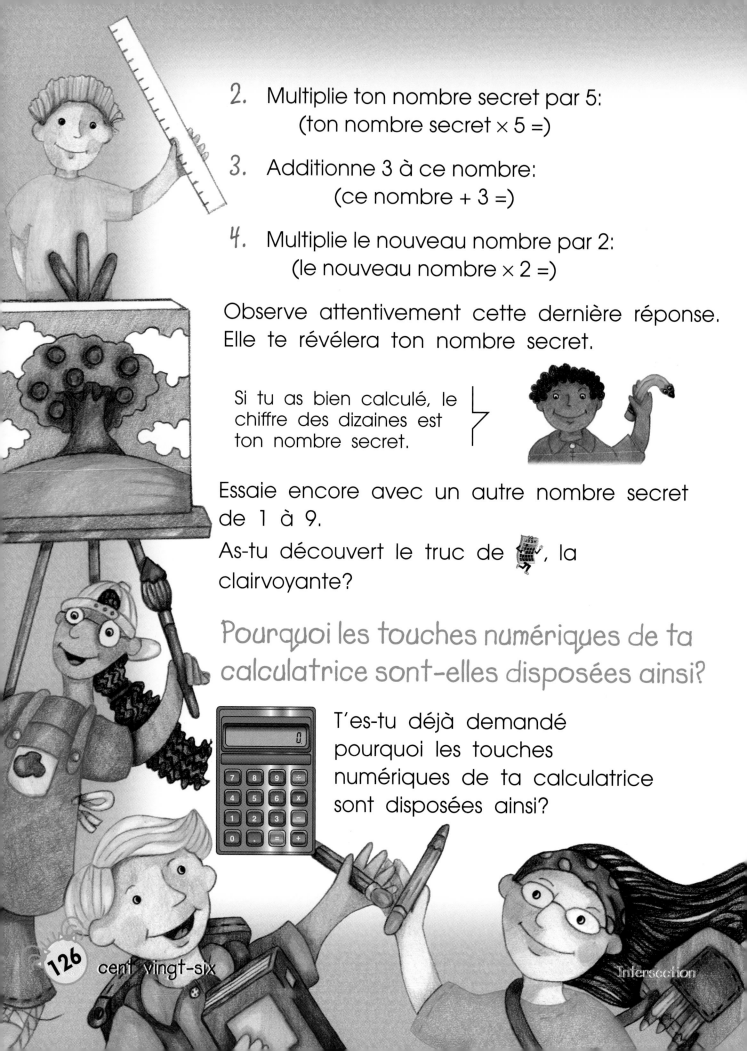, la clairvoyante?

Pourquoi les touches numériques de ta calculatrice sont-elles disposées ainsi?

T'es-tu déjà demandé pourquoi les touches numériques de ta calculatrice sont disposées ainsi?

Fais la séquence des équations suivantes, et Pitonneuse te révélera peut-être son secret des touches de nombres.

1. Soustrais $\boxed{3}\ \boxed{2}\ \boxed{1}\ \boxed{-}\ \boxed{1}\ \boxed{2}\ \boxed{3}\ \boxed{=}$.

   Note ton résultat.

   Fais aussi $\boxed{6}\ \boxed{5}\ \boxed{4}\ \boxed{-}\ \boxed{4}\ \boxed{5}\ \boxed{6}\ \boxed{=}$.

   Quel résultat obtiens-tu?

   Essaie de nouveau avec $\boxed{9}\ \boxed{8}\ \boxed{7}\ \boxed{-}\ \boxed{7}\ \boxed{8}\ \boxed{9}\ \boxed{=}$.

   Que vois-tu à l'écran de ta calculatrice?

   As-tu découvert pourquoi tu obtiens toujours le même résultat?

2. Soustrais $\boxed{6}\ \boxed{5}\ \boxed{4}\ \boxed{4}\ \boxed{5}\ \boxed{6}\ \boxed{-}\ \boxed{3}\ \boxed{2}\ \boxed{1}\ \boxed{1}\ \boxed{2}\ \boxed{3}\ \boxed{=}$.

   Note ton résultat.

   Fais aussi $\boxed{9}\ \boxed{8}\ \boxed{7}\ \boxed{7}\ \boxed{8}\ \boxed{9}\ \boxed{-}\ \boxed{6}\ \boxed{5}\ \boxed{4}\ \boxed{4}\ \boxed{5}\ \boxed{6}\ \boxed{=}$.

   Qu'affiche l'écran de ta calculatrice?

   Peux-tu expliquer pourquoi ces deux résultats sont identiques? Si tu soustrais

   $\boxed{4}\ \boxed{5}\ \boxed{6}\ \boxed{6}\ \boxed{5}\ \boxed{4}\ \boxed{-}\ \boxed{1}\ \boxed{2}\ \boxed{3}\ \boxed{3}\ \boxed{2}\ \boxed{1}\ \boxed{=}$ et

   $\boxed{7}\ \boxed{8}\ \boxed{9}\ \boxed{9}\ \boxed{8}\ \boxed{7}\ \boxed{-}\ \boxed{4}\ \boxed{5}\ \boxed{6}\ \boxed{6}\ \boxed{5}\ \boxed{4}\ \boxed{=}$,

   obtiendras-tu le même résultat? Pourquoi?

   Obtiendras-tu un nombre **palindrome**?

Un palindrome est un nombre qui se lit de la même façon de gauche à droite que de droite à gauche.

Par exemple, si tu fais: [2] [3] [6] [+] [6] [3] [2] [=], tu obtiens un nombre palindrome.

3. Additionne [1] [2] [3] [+] [1] [4] [7] [+] [9] [6] [3] [+] [9] [8] [7] [=]. Note ton résultat.
Essaie maintenant [7] [8] [9] [+] [7] [4] [1] [+] [3] [2] [1] [+] [3] [6] [9] [=]. Qu'affiche l'écran de ta calculatrice?
Comment peux-tu expliquer cela?

4. Additionne maintenant [8] [5] [2] [+] [2] [5] [8] [=]. Note ta réponse.
Fais [6] [5] [4] [+] [4] [5] [6] [=].
Quel résultat affiche ton écran?
Comment expliques-tu cela?

5. Quel résultat obtiens-tu si tu fais [7] [+] [9] [+] [3] [+] [1] [=] ?
Trouve un moyen pour obtenir ce même résultat avec 4 autres touches numériques.

À ton avis, pourquoi les touches numériques
d'une calculatrice sont-elles disposées ainsi?

Pour faire parler les gens et pour
s'amuser à trouver des régularités
avec des nombres.

Le jeu d'échecs

Fais connaissance avec une autre pièce du jeu d'échecs:

LA TOUR

Ma tour, prends garde de ne pas te laisser abattre.

Es-tu intrigué ou intriguée par le jeu d'échecs?

Désires-tu mieux le connaître et connaître chacune des pièces qui le composent?

Trouve-toi un camarade ou une camarade et lisez attentivement les informations suivantes.

Toutes les informations sont données pour la tour noire. Ce sont exactement les mêmes pour la tour blanche.

1. Dans un jeu, il y a deux tours noires et deux tours blanches.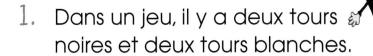

2. La tour se déplace à la verticale ou à l'horizontale, mais jamais en diagonale.

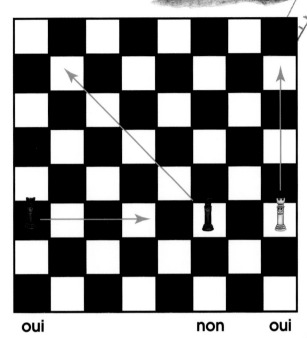

oui   **non**   **oui**

3. La tour peut avancer ou reculer d'autant de cases qu'elle le désire. Cependant, elle ne peut pas sauter par-dessus une autre pièce du jeu.

oui   **non**

As-tu bien compris les règles du jeu?
Essaie alors le jeu suivant avec les pions et les tours. Il te permettra de mieux connaître leurs mouvements.

Jeu du mouvement des pions et des tours

1. Disposez les pions et les tours sur votre échiquier comme ceci. Ce sera toujours leur place de départ.

2. Celui ou celle qui aura les pièces blanches débutera la partie. Déterminez qui d'entre vous les aura.

3. Vous jouerez chacun et chacune à votre tour et une seule pièce à la fois.

4. Un pion ne pourra prendre qu'une seule pièce adverse par déplacement.

5. Toute pièce noire peut attaquer n'importe quelle pièce blanche et vice versa.

6. Le gagnant ou la gagnante sera celui ou celle qui réussira à rendre un de ses 🨂 à l'autre bout de l'échiquier.

As-tu trouvé cette partie d'échecs captivante?
Organise un mini-tournoi d'échecs avec tes camarades de classe.

Des livres pour tous les goûts!

1er temps La préparation

Quelles sont tes lectures préférées? Celles qui te plongent dans des histoires abracadabrantes et remplies de mésaventures ou celles qui te font rire à avoir mal au ventre?

Est-il possible que tout le monde s'entende pour dire qu'une lecture est belle?

Que se passe-t-il dans ta tête quand tu lis?
Vois-tu des mots, des images, des chiffres ou des notes de musique?

Ce que je vais développer

Contenu mathématique

- Lecture et écriture des nombres < 1 000

- <>.= Comparaison et ordre des nombres

- ≈ Approximation du résultat d'une opération: addition et soustraction

- Calcul écrit: addition et soustraction

- Enquêtes, tableaux et diagrammes

- Phénomènes aléatoires: prédiction de résultats

Que préfères-tu?

Lire dans un fauteuil confortable ou dans un coin de l'autobus scolaire?

Quelles sont tes habitudes de lecture?

Sont-elles semblables ou différentes de celles de tes camarades?

À quel endroit retrouve-t-on des livres?
Aimes-tu aller à la bibliothèque?

Connais-tu les différentes sortes de livres que la bibliothèque met à ta disposition?

Ta mission

Tes camarades et toi allez mener une enquête pour découvrir quels sont les genres de livres les plus populaires auprès des élèves de votre école.

En plus de te familiariser avec les différentes sortes de livres qui te sont offerts à la bibliothèque, ta mission te permettra de lire et d'écrire des nombres, de les ordonner et de les comparer. Tu feras aussi des approximations, des prédictions, des additions et des soustractions. Les résultats de votre recherche seront illustrés sur des diagrammes et exposés à la bibliothèque afin de guider les élèves dans leur choix de lecture.

Tu auras réussi ta mission si...

 Tu découvres quels sont tes goûts et tes préférences en matière de lecture.

Tu additionnes et soustrais correctement les nombres.

Tu résous des problèmes sur les approximations et sur le hasard.

Tu participes à la réalisation de l'enquête et à l'organisation des données sous forme d'un tableau et d'un diagramme.

 Tu communiques clairement et avec précision les résultats de cette enquête.

Tu reconnais l'utilité de la mathématique dans l'organisation d'un système de classification des volumes ou des livres.

Tu fais des prédictions en te référant aux résultats de l'enquête.

Consignes

1.  Faites l'inventaire de tous les genres de livres qu'il y a dans la bibliothèque de votre école ou de votre municipalité.

Peux-tu repérer le manuel *Intersection*?

Mystère et cataplasme! Où se trouve donc *Intersection*? On m'a dit de consulter le 0420-042. Mais où est-ce donc?

Comment as-tu fait?

Peux-tu lire et écrire tous les nombres jusqu'à 1 000?

 Oui

 Non

J'ai besoin d'une activité spécifique.

La place des nombres dans la lecture

Activité spécifique **13**A

Bonjour! Je suis Rita, votre bibliothécaire. Je fais présentement l'inventaire de tous les livres de l'école.
Je dois aller dans chacune des classes recueillir vos livres.
Puis je devrai les compter et vérifier leur état.
Ensuite, je les déposerai bien à leur place à la bibliothèque grâce à un système de classement.

Intersection

As-tu déjà remarqué que les livres d'une bibliothèque ont tous une étiquette sur leur couverture?

1. a) Peux-tu lire les numéros qui se trouvent sur ces étiquettes?

Crois-tu qu'il s'agit d'un code?
Qu'est-ce qui te le fait penser?
Mais que veulent bien dire tous ces chiffres et toutes ces lettres?

Dans notre bibliothèque, nous avons un système de classification de couleurs et de numéros pour le repérage rapide d'un livre.
Voyons voir!
Si tu recherches un livre sur les planètes, tu devras te diriger vers l'étagère identifiée *Sciences-500*.
Ensuite, consulte le tableau pour connaître la couleur et le numéro de la classification que tu cherches.
Concernant les planètes, la classification sera de 520 à 529.
Donc, il ne te reste plus qu'à chercher ton livre.
Bonne lecture!

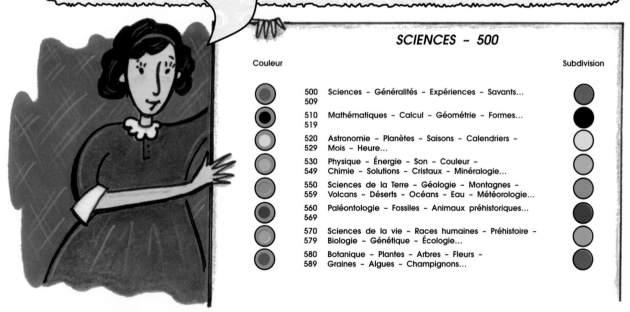

SCIENCES - 500

Couleur			Subdivision
●	500 509	Sciences - Généralités - Expériences - Savants...	●
●	510 519	Mathématiques - Calcul - Géométrie - Formes...	●
○	520 529	Astronomie - Planètes - Saisons - Calendriers - Mois - Heure...	○
●	530 549	Physique - Énergie - Son - Couleur - Chimie - Solutions - Cristaux - Minéralogie...	●
●	550 559	Sciences de la Terre - Géologie - Montagnes - Volcans - Déserts - Océans - Eau - Météorologie...	●
●	560 569	Paléontologie - Fossiles - Animaux préhistoriques...	●
●	570 579	Sciences de la vie - Races humaines - Préhistoire - Biologie - Génétique - Écologie...	●
●	580 589	Botanique - Plantes - Arbres - Fleurs - Graines - Algues - Champignons...	●

b) As-tu découvert comment fonctionne le code des livres?

Comment rangerais-tu les bouquins de la page précédente en appliquant le code?
Tes camarades ont-ils obtenu le même rangement que le tien?
Comment expliques-tu cela?

2. Pour rendre le travail de la bibliothécaire plus facile, chaque élève doit déposer ses livres dans des boîtes dès leur arrivée à la bibliothèque.

Dans quelles boîtes déposerais-tu ces livres?

Quels indices t'aideront à trouver la solution?

Comment fais-tu pour lire un nombre?

Mémento

Pour lire un nombre, je dois me rappeler de son image et de la valeur de position de chacun des chiffres.

centaines	dizaines	unités

Je dois identifier le chiffre qui occupe la plus grande position, celui qui occupe la 2e plus grande position et ainsi de suite jusqu'à la plus petite position.

Ainsi, pour lire 234, je pense à cette image et je me dis
2 centaines,
3 dizaines,
et 4 unités.

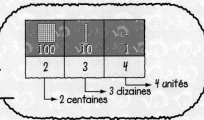

100	10	1
2	3	4

→ 4 unités
→ 3 dizaines
→ 2 centaines

2. ■ ⬡ Combien de genres de livres votre
       🐦 bibliothèque scolaire ou municipale
       ℭ𝔗 compte-t-elle en tout?

> Mystère et cataplasme!
> Il doit bien y avoir une
> façon de calculer qui
> fonctionne! Zut de Zut!

SORTIE / **Un instant**

Sais-tu pourquoi il est important de faire l'approximation
d'un résultat avant de le calculer et comment on fait
des arrondissements de nombres?

 Oui

 Non

J'ai besoin d'une activité spécifique.

Fini les boniments!
Vive les arrondissements!

Rita, la bibliothécaire de l'école, dispose d'un certain budget pour l'achat de nouveaux livres.

Elle voudrait connaître les goûts des élèves de son école afin d'acheter des livres qui sauront leur plaire.

1. Rita propose à quelques élèves de venir l'aider à compter le nombre de livres dans cette étagère.

Je ne peux pas compter tous ces livres un par un.

C'est beaucoup trop long.

Je vais trouver un autre moyen!

a) Fais une approximation de la quantité de livres qu'il y a dans l'étagère de Rita.

Crois-tu réussir à faire cette approximation? Connais-tu la signification du mot approximation?

Échange avec tes camarades sur les stratégies qui pourront t'aider à faire l'approximation du résultat.

Laquelle des stratégies trouves-tu la plus efficace? Pourquoi?

b) Quelle serait, d'après toi, la méthode la plus efficace pour calculer tous ces volumes?

Trouves-en la somme exacte.

Laisse des traces de ta démarche et de ton résultat.

Avez-vous obtenu 997 comme somme?
Cette somme est-elle trop élevée ou pas assez?

c) Trouve la différence entre ton résultat et celui obtenu par Rita.

Raconte à tes camarades comment tu as fait.

 Utilise du matériel.

Compare tes résultats: celui de ton approximation et celui de ton calcul exact.

Que remarques-tu?

Tes camarades ont-ils obtenu eux aussi ces mêmes réponses?

Comment expliques-tu cela?

2. Consulte le tableau préparé par Rita.

Le nombre de livres à acheter pour l'école	
les groupes d'élèves de l'école	le nombre de livres
maternelle	23
1er cycle	35
2e cycle	32
	30
3e cycle	47
	68

a) Fais une approximation du nombre de livres que Rita devra acheter.

Quelle opération mathématique devras-tu faire?
Pourquoi?

Une bonne façon de faire l'approximation d'un résultat est d'arrondir les nombres! Sais-tu comment on fait pour arrondir des nombres à la dizaine près?

Consulte la droite des nombres!

Pour arrondir 18 à la dizaine près, je repère 18 sur la droite des nombres.

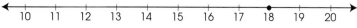

18 est plus près de quelle dizaine: de 10 ou de 20?
Comment peux-tu en être certain ou certaine?

Connais-tu une autre méthode pour arrondir les nombres?

L'arrondissement des nombres me permet de trouver rapidement l'approximation d'un résultat. Observe comment je fais.

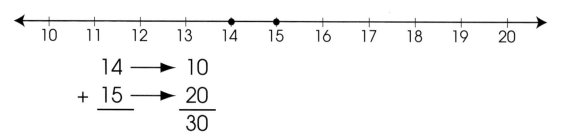

$$14 \longrightarrow 10$$
$$+\ 15 \longrightarrow 20$$
$$\overline{\ 30}$$

Ainsi, 14 + 15 donne environ 30.

Peux-tu expliquer la stratégie de  ?

 Moi, je dis que 32 – 26 donne environ 0.

A-t-elle raison? Pourquoi?

 Dis en quoi et pourquoi les arrondissements de nombres sont utiles.

b) Fais le calcul exact du nombre de livres qu'achètera Rita.

Lors de mon inventaire, j'avais calculé 237 livres.

As-tu obtenu ce même nombre?

Raconte à tes camarades comment tu as effectué ton calcul.

Fais des exercises pour consolider tes connaissances en addition et en soustraction.

Mémento

Faire l'approximation d'un résultat est une stratégie importante pour évaluer le résultat d'un calcul.

Faire des arrondissements à la dizaine près est une excellente façon de faire des approximations.

Voici comment on arrondit un nombre à la dizaine près.

1. Je repère sur la droite des nombres, le nombre à arrondir.

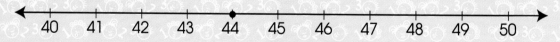

2. Je l'identifie à la dizaine la plus proche.
44 ⟶ 40

Ainsi, 44 arrondi à la dizaine près est 40.

Voici comment faire une approximation de la somme de 25 + 24 en arrondissant les nombres à la dizaine près.

25 arrondi à la dizaine près donne 30.
24 arrondi à la dizaine près donne 20.

$$
\begin{array}{rcl}
25 & \longrightarrow & 30 \\
+\ 24 & \longrightarrow & 20 \\
\hline
 & & 50
\end{array}
$$

Ainsi, la somme de 25 + 24 donne à peu près 50.

Pourquoi 54 et 46 arrondis à la dizaine près donnent respectivement 50 et 50?

Retour à la tâche

3. ■ ⬡ ● Préparez votre échantillon de l'enquête.

Mystère et cataplasme! Mais où est donc passé ce fameux échantillon de l'enquête?

Par économie de temps, on ne peut pas interroger tout le monde lors d'une enquête. Cependant, on prend bien soin de choisir notre échantillon ou une partie des personnes qui répondront à notre questionnaire.

Pour composer votre échantillon de l'enquête, chacun ou chacune d'entre vous va choisir au hasard un ou une camarade de l'école.

Il faudrait peut-être avoir une liste des noms des élèves de l'école.

Comment allez-vous vous la procurer?

Comment allons-nous laisser le hasard déterminer notre échantillon?

Sais-tu comment le hasard peut déterminer un échantillon de personnes?

Oui

Non

J'ai besoin d'une activité spécifique.

C'est le hasard qui décide

Activité spécifique **13**c

Rita est venue présenter les 12 nouveaux livres à notre groupe d'élèves. Or, nous sommes 24 élèves. Il n'y a pas assez de livres pour tout le monde. Et moi j'aimerais beaucoup lire le livre sur les planètes.

1. Cette fillette a-t-elle des chances de pouvoir emprunter le livre sur les planètes aujourd'hui?
   Combien de chances a-t-elle?
   Fais ta prédiction.
   Combien de chances a chacun des élèves de la classe de lire le livre sur les planètes?

Expérimente avec du matériel.
Exprime ta réponse de façon mathématique.

2. Explique ta démarche et ta solution. Compare-les à celles de tes camarades.

   Peut-il y avoir plusieurs démarches différentes pour trouver la solution?
   Lesquelles ont ta préférence?

Que dois-tu faire si tu es en désaccord avec l'idée d'un ou une de tes camarades?

Si tu veux expérimenter davantage la notion du hasard, fais-en la demande à ton enseignante ou à ton enseignant.

Mémento

Devant l'incertitude, il est impossible de prévoir avec justesse les chances qu'un résultat se produise. On dit que c'est le hasard qui détermine le résultat.

Les chances pour qu'un résultat se produise peuvent être certaines, possibles ou impossibles.

Si je lance un dé non pipé à 6 faces, ma chance d'obtenir un chiffre de 1 à 6 ⚀ ⚁ ⚂ ⚃ ⚄ ⚅ est certaine.

Ma chance d'obtenir un ⚁ est possible.

Ma chance d'obtenir un 0 est impossible.

4.  Formulez des questions différentes pour découvrir les genres de livres que préfèrent certains élèves de votre école.

a) Faites un choix judicieux de questions parmi toutes celles qui auront été soumises par votre groupe d'élèves.

Ah, ces mots!
Comme ils me
causent des maux!

Trop de mots causent
beaucoup de maux aussi!

Les mots traduisent bien
souvent des maux!

Mémo de: Messagie
Pour bien choisir ses mots
☑ Imagine des questions dans ta tête.
☑ Écris-les.
☑ Fais part de tes questions à tes camarades.
☑ Comprennent-ils toujours ce que tu as voulu dire dans tes questions?
☑ Vérifie.

Alors, consulte ce petit mémo pour bien choisir tes mots.

b) Préparez votre questionnaire.

On peut construire et imprimer son questionnaire à l'aide de l'ordinateur.

Je me demande combien de copies du questionnaire seront nécessaires pour bien mener notre enquête.

Comment vas-tu calculer ton nombre de copies?

5.  Déterminez les étapes à suivre pour mener votre enquête.

Déterminez comment vous allez recueillir les informations, comment et quand vous allez rencontrer les élèves faisant partie de votre échantillon.

Rappelle-toi, tu as déjà fait une enquête sur les animaux préférés de tes camarades.
Procède de la même façon.

Si tu as oublié, ce n'est pas grave! Tu as ton journal et ton portfolio pour te rappeler les étapes.

6.  Organisez votre enquête en fixant un échéancier.

Mystère et cataplasme! On est déjà le 6. Comme le temps a passé!

Quels peuvent être les mois possibles de cette page du calendrier?

Si notre détective est la 18ᵉ personne à vouloir emprunter le livre sur les enquêtes, quel serait le jour où il pourra l'avoir entre les mains?

Discutez entre camarades pour fixer un échéancier que tous respecteront.

7. ■ ⬡ 🐛 🐛 Après votre enquête, organisez les résultats.

Produisez un grand tableau des résultats de votre enquête.

Attention! Ce tableau doit contenir les informations suivantes:

1. Le titre de votre enquête;
2. Le cycle des élèves qui ont répondu au questionnaire;
3. Les différents genres de livres qui sont disponibles à la bibliothèque de votre école ou de votre municipalité;
4. Le dénombrement des résultats;
5. Le nombre d'élèves conforme au dénombrement des résultats pour chaque genre de livre.

Choisissez une ou un responsable pour écrire les résultats sur le tableau des données.

C'est moi qui veux être le responsable.

Pardon! C'est à mon tour cette fois-ci.

Pas question! C'est moi.

Laissons le hasard décider!

Titre de l'enquête			
cycle	genre de livre	dénombrement des résultats	nombre d'élèves
1er cycle			
2e cycle			
3e cycle			

N'oublie pas que tes camarades ont le droit d'avoir des idées et des goûts différents des tiens.

Tu dois les respecter!

Tu as raison, car chacun et chacune n'ont pas les mêmes goûts. Certaines ou certains aiment les contes, les romans et d'autres, les bandes dessinées. Et c'est normal!

Utilise un traitement de texte pour rendre les résultats de votre enquête.

8. 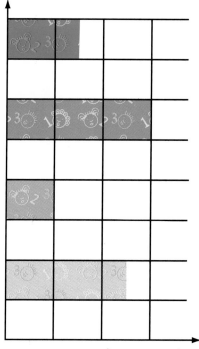 Choisissez un diagramme pour illustrer vos résultats.

Quel diagramme allez-vous choisir pour présenter vos résultats?

Faites votre choix parmi les diagrammes suivants.

a) Le diagramme à bandes horizontales

b) Le diagramme à bandes verticales

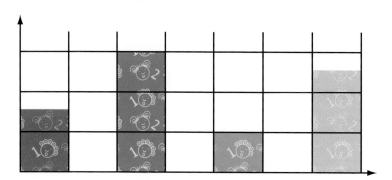

c) Le diagramme à pictogrammes

légende

= 1 verre

Utilise un
tableur pour
construire
le diagramme
choisi.

9.  Dégagez les éléments d'information du diagramme que vous avez choisi pour présenter les résultats de votre enquête.

 Quels sont les genres de livres les plus populaires auprès des élèves de ton école?
Quels sont les livres les plus impopulaires?

Comment expliques-tu cela?

Crois-tu que tu obtiendrais ces mêmes conclusions si tu menais la même enquête auprès des élèves de toutes les écoles du Québec? Explique-toi.

Quand votre enquête sera terminée, affichez le diagramme à la bibliothèque de votre école ou de votre municipalité pour que tous les élèves puissent le consulter.

Évaluation

Contenu mathématique

- Lecture et écriture des nombres < 1 000

- <>. Comparaison et ordre des nombres

- ≈ Approximation du résultat d'une opération: addition et soustraction

- Calcul écrit: addition et soustraction

- Enquêtes, tableaux et diagrammes

1. Fais une approximation du nombre d'élèves qu'il y a dans ton école.

Réfléchis au nombre de classes qu'il y a dans ton école et aussi au nombre d'élèves qu'il y a dans chacune des classes.

2. Un bibliothécaire veut abonner les élèves du 1er cycle du primaire à une nouvelle revue bimensuelle. Il a mené une enquête pour s'informer des préférences de lecture de chacune et chacun.

Voici les résultats de son enquête.

Les revues préférées des élèves du 1er cycle du primaire	
revue	nombre d'élèves
Chouette	19
J'aime écrire	21
Les grands inventeurs	11
Poulipou	23
Pause	15

Il y a 97 élèves dans les classes du 1er cycle.

a) Combien d'élèves ont répondu au questionnaire?

b) Combien d'élèves étaient absentes ou absents durant cette journée-là?

c) Si l'école reçoit une revue tous les deux mois, combien de revues recevra-t-on cette année?

d) Quelle revue les élèves du 1er cycle préfèrent-ils?

3. Rita, notre bibliothécaire, a réussi à acheter plusieurs numéros de revues encore disponibles chez le marchand de journaux.

Voici les numéros:

209	247	534	300	796
273	604	742	801	999

Dans les rayons de livres à la bibliothèque, les livres et les revues sont toujours ordonnés.

Ordonne ces numéros dans l'ordre croissant.

Crois-tu avoir réussi ta mission?

Qu'as-tu appris?

Qu'est-ce que tu as aimé?

Qu'as-tu trouvé de facile?

Qu'est-ce qui a été un peu plus difficile?

Quelles compétences as-tu développées?

Réfléchis à des situations de ta vie quotidienne où tu vas devoir te servir de tes nouvelles compétences. Discutes-en avec tes camarades de classe.

Réinvestis tes nouveaux apprentissages.

Pars à la découverte du calcul mental avec .

Je me calculmentalise!

 T'es-tu déjà demandé comment font les gens pour calculer des nombres sans se servir de matériels, de

crayons et de papier ou de ?

T'arrive-t-il de calculer «dans ta tête»?
Comment fais-tu pour calculer mentalement 27 + 38?

Voici deux de mes stratégies.

La première: 27 + 38 = (27 + 30) + 8 ou (20 + 38) + 7 =

La seconde: 27 + 38 = (27 + 3) + 35 ou (38 + 2) + 25 =

Peux-tu expliquer les deux stratégies d'Applicou?
Observe bien chacune des stratégies. Elles ont des choses en commun. Lesquelles?
Dis en quoi chaque stratégie est différente de l'autre.

1. Peux-tu appliquer ces 2 stratégies aux opérations suivantes?

$23 + 17 =$ $\qquad$ $32 - 8 =$

$39 + 24 =$ $\qquad$ $45 - 17 =$

$18 + 45 =$ $\qquad$ $44 - 18 =$

Vérifie tes réponses à l'aide de ta calculatrice.
As-tu rencontré des difficultés?
Lesquelles?
Discute avec tes camarades de classe pour connaître leurs opinions.

2. Trouve un moyen pour calculer mentalement le résultat de ces équations:

$27 + 4 + 3 + 5 =$ $\qquad$ $23 - 7 - 2 - 9 =$

Vérifie tes réponses avec ta calculatrice.
Raconte ton procédé de calcul mental à tes camarades.
Quelle stratégie te semble la plus appropriée?
Pourquoi?

Complète les grilles que ton enseignante ou ton enseignant te remettra.

Complète ton portfolio.

Discute avec elle ou lui pour t'aider à trouver des moyens d'améliorer tes apprentissages.

J'ai développé mon goût pour la lecture en faisant cette tâche. Cette semaine, je lirai un nouveau livre.
Quand j'aurai terminé de le lire, j'écrirai ce que j'ai le plus aimé et le moins aimé de ce livre avec une courte explication. Je laisserai ma feuille d'appréciation à la bibliothèque pour que les autres puissent la lire.

Le plaisir de fabriquer des livres

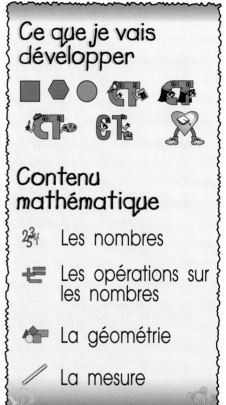

Ce que je vais développer

Contenu mathématique

2$^3_5$4   Les nombres

Les opérations sur les nombres

La géométrie

La mesure

1er temps La préparation

Que sais-tu des petits jeux comme le jeu du tic-tac-toc, les jeux de dés, les jeux de cartes?
Pourquoi les gens les ont-ils inventés?
Quels sont les petits jeux que tu connais?

Quels sont les jeux où tu réussis le mieux?
Que préfères-tu: gagner, avoir du plaisir à jouer ou apprendre par les jeux?
Explique-toi.

Quelle place les petits jeux occupent-ils dans ta vie?
Quel est le jeu qui a ta préférence?
Lequel aimes-tu le moins?

Que dirais-tu d'inventer un petit jeu en mathématique?
Que dirais-tu de fabriquer un livre pour consigner tous
les jeux des élèves de ton groupe?

Ta mission

Tes camarades et toi fabriquerez le grand livre
des petits jeux mathématiques.
Ta mission te permettra de développer tes
connaissances sur les nombres, les opérations,
la géométrie et la mesure.

Tu auras réussi ta mission si...

 Tu participes activement à la création
du livre.

 Tu cherches des idées de jeux.

 Tu utilises adéquatement les nombres,
la mesure ou la géométrie dans ton
jeu.

 Tu utilises le vocabulaire
mathématique pour présenter ton jeu.

Tu apprécies la présence des mathématiques dans les jeux.

Tu saisis l'information pour mieux l'utiliser dans ton jeu.

Tu crées un jeu en relation avec les mathématiques.

Tu fais preuve de jugement critique.

Tu acceptes les critiques de tes camarades.

Tu exploites ta créativité.

2ᵉ temps La réalisation

Fabriquer un jeu de société et un livre ne se fait pas n'importe comment! Il y a trois grandes étapes à respecter. Il faut d'abord mettre de l'ordre dans ses idées, fouiller pour trouver des jeux intéressants et procéder avec méthode pour fabriquer le livre.

Que veut dire Modélisa?
Crois-tu qu'elle a raison d'affirmer cela?

Consignes

1re étape: Mettre de l'ordre dans ses idées

1. 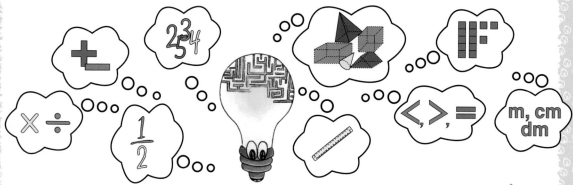 Ensemble, faites une tempête d'idées de tout ce que vous savez sur les nombres et leurs opérations, la géométrie et les mesures.

Nommez un gardien ou une gardienne des idées pour inscrire au tableau les notions mathématiques.

 Crois-tu qu'il est important et utile de bien distinguer les notions qui appartiennent aux nombres, aux opérations, à la mesure et à la géométrie? Explique-toi.

Comment feras-tu pour classer les termes mathématiques dans leurs catégories respectives?

 Consulte ton portfolio, ton journal et ta carte d'association d'idées.
Fais aussi confiance à tes intuitions!
Quels mots mathématiques es-tu capable de reconnaître?

En mathématique, pour pouvoir examiner une situation d'un seul coup d'oeil, il est souvent nécessaire d'organiser nos informations sous forme de tableaux et de graphiques.

Complète un tableau comme celui-ci pour classer tes idées.

les notions mathématiques			
les nombres	les opérations	la géométrie	la mesure

2e étape: La fabrication d'un jeu intéressant

2. Formez des équipes. Consultez les petits jeux qui existent sur le marché. Recherchez-y la présence de notions mathématiques. Décidez de votre jeu.

Où pourrait-on prendre
des idées de jeux?
Existe-t-il des livres de jeux
sur le marché?
Lesquels? Où?
Fais une recherche et
apporte en classe tout ce
que tu peux trouver
d'intéressant.
Discutez des résultats de
votre recherche.

 Quels jeux sont créés avec
des notions mathématiques
sur les nombres, la géométrie
et les mesures?

Mentionne comment les
mathématiques sont présentes ou
nécessaires pour jouer à ces jeux.

 Comment t'assureras-tu
que ton jeu contiendra des notions
mathématiques?

Parmi les choix de jeux qui s'offrent à toi, choisis
un petit jeu à développer. N'oublie pas qu'il doit
avoir un lien avec les mathématiques.

Consigne les informations à caractère mathématique de ton jeu dans un tableau comme celui-ci.

le choix de mon jeu	son contenu mathématique			
	les nombres	les opérations	la géométrie	la mesure

3. Identifie les différentes étapes à parcourir pour réaliser ton petit jeu mathématique.

Crois-tu avoir des aptitudes pour fabriquer un jeu? Pourquoi?

Connais-tu une façon d'organiser les différentes étapes de ton jeu?

Laisse libre cours à ton imagination.
Sois original ou originale!

Quels en seront le but et les règles?
Comment vas-tu organiser ou
dessiner la planche de ton jeu?
Quel sera le matériel nécessaire pour
jouer?
Combien de camarades pourront y
jouer?

J'ai fait toute seule la planche de mon jeu.

Moi, je n'aime pas la planche de ton jeu. Elle est très mal construite! Tu ne fais jamais rien de beau!

Es-tu d'accord avec le point de vue du garçon?
Pourquoi?
Es-tu d'accord avec sa façon de le dire?

4.  Examinez en équipe de travail les règles de chacun des jeux.

> Joue à ton jeu avec quelques camarades pour vérifier si tout est au point.
> Valide auprès d'eux la clarté de tes règles et du niveau de difficulté de ton jeu.

Si tout semble bien, présente ton petit jeu mathématique à ton enseignante ou à ton enseignant. Vous jugerez ensemble s'il y a des modifications à apporter.

5. ◼⬢⬤ Produis ton jeu au propre.
Tu es prête?
Tu es prêt?

Avec un ou une camarade, partagez de façon équitable une feuille de beau papier ou de carton de 19 cm de longueur sur 12 cm de largeur.

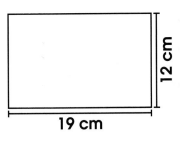

12 cm

19 cm

Chacun ou chacune à votre tour, reproduisez votre jeu mathématique sur votre partie de feuille ou de carton.

Attention à la propreté!

6. ⬢ Présente ton chef-d'oeuvre à tous tes camarades.

Structure tes informations. Revois les stratégies d'une bonne communication.

Précise à tes camarades:

1. les notions mathématiques présentes dans ton jeu;

2. les éléments qui font partie de ta création;

3. les éléments que tu as empruntés à un autre jeu pour réaliser ton oeuvre.

Invite aussi tes camarades à te poser des questions sur ton jeu.

Remets ta feuille de jeu à ton enseignante ou à ton enseignant pour qu'elle ou il le reproduise pour tous les élèves.

Conserve une copie de tous les jeux de tes camarades dans ton portfolio.

Ce serait une bonne idée de relier toutes ces pages de jeux.

Qu'en penses-tu?

Que dirais-tu de conserver les jeux mathématiques dans le grand livre des petits jeux?

As-tu déjà réfléchi aux étapes de production d'un livre?
Partage tes informations avec tes camarades de classe.

3ᵉ étape: Jouons aux éditeurs!

7. **CT** Fais le montage de ton livre de jeux mathématiques.

1. Organise tes feuilles de jeux en deux paquets bien égaux. Superpose bien soigneusement les feuilles.	
2. Ajoute 2 feuilles blanches sous un paquet. Ces feuilles serviront à finaliser la couverture du livre.	

Intersection

3. Plie chacun de tes deux paquets de feuilles en deux. Appuie très fort sur la pliure.

4. Ouvre, puis place ensemble tes deux paquets de feuilles, une feuille blanche au-dessous de chaque côté. Appuie de nouveau très fort sur la pliure.

5. Déplie, puis place les feuilles de jeux bien à plat sur une table. Insère des trombones aux extrémités pour garder tes feuilles bien en place.

6. Coupe un fil de 63 cm de long. Enfile-le sur une aiguille.

7. Place 3 points sur la pliure du livre. Un premier à 6 cm du bas, un second à 12 cm et un dernier à 18 cm.

18 CM

12 CM

6 CM

8. Pique chacun des points avec ton aiguille pour transpercer le livre. Couds les pages en commençant par le centre, puis rejoins le haut. Reviens au centre, puis rejoins le bas cette fois. Répète cette étape 5 fois.

9. Attache le fil, puis coupes-en l'excédent.	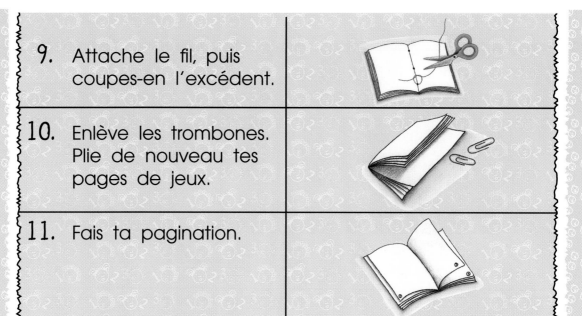
10. Enlève les trombones. Plie de nouveau tes pages de jeux.	
11. Fais ta pagination.	

Attention!
Une aiguille, ça pique!

8. Réalise la couverture de ton livre de jeux.

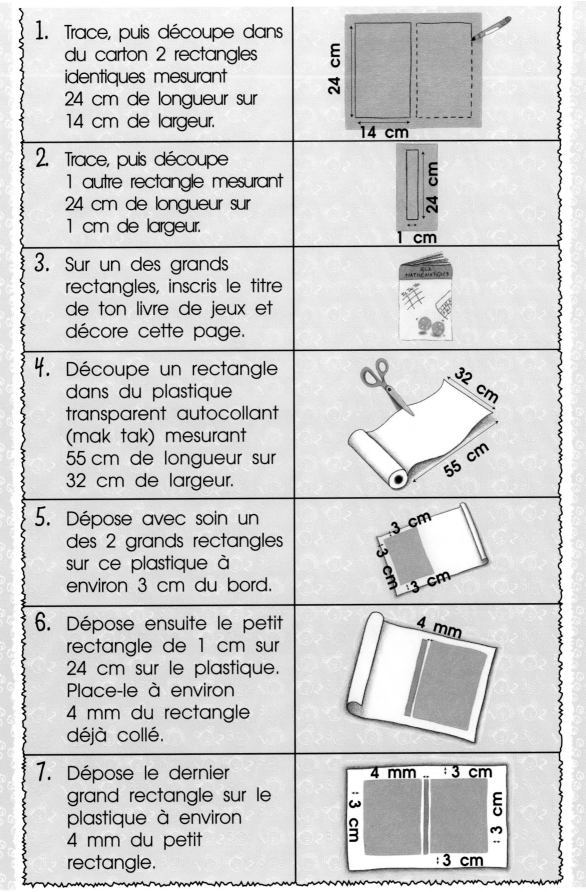

1. Trace, puis découpe dans du carton 2 rectangles identiques mesurant 24 cm de longueur sur 14 cm de largeur.

24 cm
14 cm

2. Trace, puis découpe 1 autre rectangle mesurant 24 cm de longueur sur 1 cm de largeur.

24 cm
1 cm

3. Sur un des grands rectangles, inscris le titre de ton livre de jeux et décore cette page.

4. Découpe un rectangle dans du plastique transparent autocollant (mak tak) mesurant 55 cm de longueur sur 32 cm de largeur.

32 cm
55 cm

5. Dépose avec soin un des 2 grands rectangles sur ce plastique à environ 3 cm du bord.

3 cm
3 cm
3 cm

6. Dépose ensuite le petit rectangle de 1 cm sur 24 cm sur le plastique. Place-le à environ 4 mm du rectangle déjà collé.

4 mm

7. Dépose le dernier grand rectangle sur le plastique à environ 4 mm du petit rectangle.

4 mm
3 cm
3 cm
3 cm
3 cm

8. Assure-toi que ces 3 rectangles soient bien collés sur le plastique.

9. Trace sur le plastique une bordure extérieure à environ 2 cm des rectangles, puis découpe-la.

2 cm

10. Plie cette bordure vers l'intérieur de la couverture du livre et coupe le surplus de plastique aux 4 coins. Colle le tout.

11. Plie la couverture de ton livre pour bien la former.

12. Place-la bien à plat sur la table et appuie délicatement sur les grands rectangles vers le centre pour bien former le dos de ta couverture.

9. **C** Fais l'emboîtage de ton livre.

1. Place la couverture de ton livre de jeux bien à plat sur la table, le côté intérieur face à toi.	
2. Encolle l'extérieur de la première feuille blanche qui se trouve sous ton livre de jeux.	
3. Centre bien cette feuille blanche sur un des rectangles de carton, puis colle-la. Appuie fortement dessus.	

4. Refais la même démarche avec l'extérieur de la dernière feuille blanche.	
5. Ferme ton livre de jeux. Appuie très fort pendant au moins 5 minutes.	

10. Complète ton livre de jeux mathématiques.

Inscris toutes les informations suivantes à la première page intérieure de ton livre de jeux mathématiques.

Informations

Le nom de chacun des auteurs et auteures ainsi que les titres de leurs jeux mathématiques.
L'endroit où les jeux ont été construits.
La date de la fabrication des jeux.
Les notions mathématiques contenues dans chacun des jeux.

Ajoute de la couleur et des images sur la couverture de ton livre.

Et voilà ton grand livre de petits jeux mathématiques est terminé!
Amuse-toi bien.

Tu peux rééditer ton livre autant de fois que tu le voudras!

Évaluation

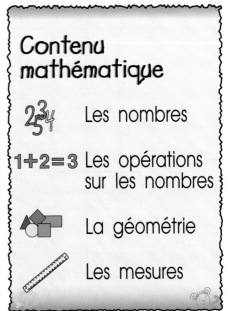

Contenu mathématique

$2\overset{3}{5}4$ Les nombres

$1+2=3$ Les opérations sur les nombres

La géométrie

Les mesures

1. Trouve ces petits coquins de nombres qui se cachent parmi ces indices.
   Utilise tes blocs multibases.

   a) Je suis un nombre de trois chiffres.
      Le chiffre 0 est à la position des dizaines.
      Je suis le plus grand possible.

   b) Je suis un nombre de trois chiffres.
      J'ai ce portrait: 2x (23 dizaines + 14 unités).

2. Écris en lettres les nombres que ton enseignant ou ton enseignante te dictera.

3. En partant de 1 et en faisant certains bonds, Rosemonde a construit une suite. Cependant une erreur s'est glissée dans sa transcription des nombres. Laquelle?

   1, 1, 2, 3, 5, 8, 13, 22

4. Voici une façon de représenter la fraction $\frac{1}{2}$.

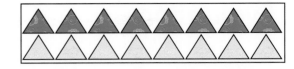

On a colorié en vert foncé une moitié de ces triangles et l'autre moitié a été coloriée en vert pâle.

Dessine 3 autres représentations de cette même fraction.

5. Écris trois phrases contenant des informations mathématiques différentes pour décrire cette forme géométrique.

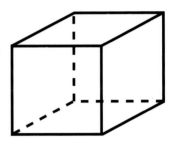

6. Résous ces deux problèmes. Laisse des traces de tes démarches.

A) Les élèves des classes du 1ᵉʳ cycle sont allés glisser au mont Bellevue. En haut de la pente, on peut compter 57 élèves qui attendent leur tour pour glisser. Un tube peut contenir 5 personnes. Combien de tubes utilisera-t-on?

B) À la journée plein air, les élèves des classes du 1ᵉʳ cycle se sont inscrits à différentes activités. Complète le tableau suivant. Réponds ensuite aux trois questions.

Les élèves du 1ᵉʳ cycle inscrits à des activités plein air			
	raquette	patin	total
Filles	?	22	45
Garçons	18	?	41
Total	?	45	86

a) Combien d'élèves font du patin?

b) Combien d'élèves font de la raquette?

c) Combien y a-t-il de garçons de moins que de filles?

1. Xavier est plus petit que Fabrice.
Fabrice est plus grand que Julien.
Ces trois garçons mesurent respectivement 124 cm,
131 cm et 116 cm.

Combien mesure Fabrice?

3e temps L'intégration et le réinvestissement

As-tu bien organisé ton temps pour accomplir ta mission?
Es-tu satisfait ou satisfaite de ton travail?
As-tu l'impression d'avoir bien travaillé?

As-tu eu besoin d'aide?
Quand? Pourquoi?

Étais-tu réceptif ou réceptive aux commentaires de
tes camarades?
Comment s'est organisée la répartition des tâches?
Y a-t-il eu de la coopération entre vous?

As-tu davantage compris certaines notions en
mathématiques?
As-tu davantage apprécié les mathématiques après
cette tâche?
As-tu développé ta confiance en toi lors de la
fabrication de ton livre de petits jeux?
Es-tu devenu plus persévérant ou persévérante?

Évalue ton travail en utilisant la grille d'autoévaluation que ton enseignante ou ton enseignant te remettra.

Compare tes résultats avec ceux des grilles des autres tâches. Identifie tes progrès.

Complète ton portfolio.

Peux-tu nommer des situations où tu vas pouvoir utiliser tes nouveaux apprentissages?

En voici une. Pars à la découverte de ta calculatrice!

En vedette la touche =

Cricri et Najib participent à un concours de rapidité en calcul avec une calculatrice. Nos deux amis doivent trouver une façon rapide et efficace pour résoudre

.

Voici un problème qui peut être résolu avec l'aide de la constante automatique de la touche =. Grâce à elle, on peut rapidement calculer des nombres.

1. Fais la séquence de ces touches.

ou

As-tu obtenu 15 comme réponse?
Vérifie si la somme obtenue par ta calculatrice est exacte. Justifie tes réponses par des phrases mathématiques.

As-tu découvert comment fonctionne la constante automatique de la touche de ta ?

2. En ajoutant autant de touches que tu veux au premier chiffre, sera-t-il possible d'afficher les nombres suivants? Mets un sur ceux que tu crois possibles, puis vérifie à l'aide de ta .

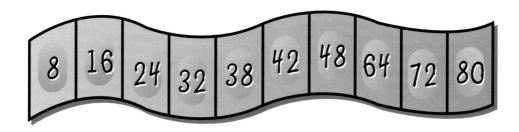

3. Cette séquence de touches permet de compter par 3 à partir de 54 jusqu'à 18.

Quel nombre se cache sous chaque ?
Fais ta prédiction avant de vérifier.

4. Najib dit souvent: «Monter et descendre un escalier, ça me donne le goût de compter!» Et toi?

Les marches de cet escalier progressent par bonds de 6.

Comment feras-tu pour trouver les nombres manquants?
Écris dans ton cahier une phrase mathématique qui représente la situation de Najib.

Résous ce problème à l'aide de ta calculatrice.

Vérifie si les réponses obtenues par ta calculatrice ont du sens.

5. Invente à ton tour une suite de nombres.
Efface quelques nombres.

Soumets ta suite à une ou un qui fera la même chose pour toi.

Utilise ta calculatrice pour t'aider à trouver les nombres manquants.

Préparez un salon du livre!

Invitez les élèves des autres groupes à venir le visiter!
Offrez un exemplaire de votre livre de jeux à la
bibliothèque de votre école ou offrez-le à la
bibliothèque de votre municipalité.

Te souviens-tu des étapes à suivre pour
bien communiquer?
Consulte ton journal au besoin!
On te posera certainement des
questions sur la fabrication de ton livre.

Souviens-toi de toutes les étapes de sa production:
recherche, choix d'un jeu, correction, validation et pour
terminer, le montage.

J'ai eu beaucoup de plaisir
à réaliser ce livre de jeux.
C'est génial, je peux
maintenant expliquer les
étapes de sa réalisation à
mes amies et amis.

Construis ta carte d'association d'idées.

Nombres et opérations

Lecture et écriture de nombres inférieurs à 1000

Comparaison et ordre des nombres

Approximation du résultat d'une opération: addition, soustraction

Calculs écrits: addition, soustraction

Statistique

Enquête, tableaux et diagrammes

Probabilité

Phénomènes aléatoires: prédictions de résultats

Peux-tu faire des liens entre ces notions mathématiques? Si oui, lesquels? Si non, pourquoi?

Le coin de la récréation

Le calendrier énigmatique

Cette page du calendrier montrant le mois d'octobre est très impressionnante! Les nombres à l'intérieur du carré rouge renferment un secret.

Veux-tu le connaître?

1. Trouve le plus petit nombre à l'intérieur du carré rouge.

2. Ajoute-lui 8.

3. Multiplie ton résultat par 9.
   Quelle est ta réponse?

4. Additionne maintenant tous les nombres à l'intérieur du carré rouge.
   Quelle réponse as-tu?

Essaie cette démarche avec d'autres nombres de la page du mois d'octobre. Qu'observes-tu?

Essaie avec d'autres mois du calendrier. Que constates-tu?

Quelle est ta conclusion?

Le coin de la mathémagie

> Abracadabra!
> Voici la calculatrice qui fait tout apparaître.
> Voici Pitonneuse, la clairvoyante.
> Abracadabra! Bonjour!

Sais-tu que ta calculatrice est une véritable magicienne.

Elle peut deviner ton nombre secret.

Veux-tu essayer ce nouveau tour de passe-passe mathématique?

Fais la séquence des touches suivantes et Pitonneuse, la clairvoyante, te révélera un autre de ses plus grands secrets.

1. Pense à un nombre de 2 chiffres.
   Écris-le dans ton cahier.
   Affiche-le à l'écran de ta calculatrice.

2. Multiplie ce nombre par 2.

3. Ajoute-lui 4.

4. Multiplie ce nouveau nombre par 5.

5. Ajoute-lui 12.

6. Multiplie ce nombre par 10.

7. Enlève-lui 320.

Observe attentivement cette dernière réponse.

Si tu as bien calculé, les 2 premiers chiffres à gauche représentent ton nombre secret.

Essaie encore avec un autre nombre secret de 2 chiffres.

As-tu découvert le truc de , la clairvoyante?

À la conquête du jeu d'échecs
En vedette: **les mouvements du fou**

Toutes les informations sont données par le fou noir. Ce sont exactement les mêmes pour le fou blanc.

Trouve-toi une amie ou un ami. Lisez bien attentivement les informations suivantes.

1. Dans un jeu d'échecs, il y a 2 fous blancs et 2 fous noirs.

2. Il y a un fou qui se déplace uniquement sur les cases blanches et l'autre fou, sur les cases noires de l'échiquier.

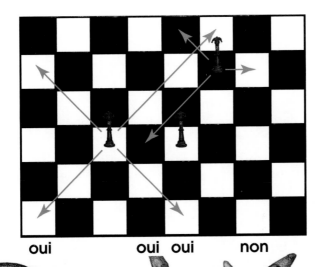

oui   oui oui   non

3. Le fou se déplace en diagonale sur la longueur qu'il désire, mais ne peut sauter par-dessus une pièce du jeu.

oui   non   non   non

4. Le fou capture une pièce adverse en diagonale.

non   oui   oui

5. Le fou prend alors la place de la pièce qui a été capturée.

> As-tu bien compris les règles de fonctionnement du fou?
> Essaie alors ce jeu avec les fous, les tours et les pions.

1. Déposez les fous, les tours et les pions sur votre échiquier comme ceci. Ce sera toujours leur place de départ.

2. Ce sont les blancs qui commencent la partie. Cependant, déterminez au hasard qui aura les pièces blanches.

3. Vous jouerez chacun ou chacune à votre tour et vous ne déplacerez qu'une seule pièce à la fois.

4. Une pièce ne pourra prendre qu'une seule pièce adverse par déplacement.

5. Le gagnant ou la gagnante sera celui ou celle qui réussira à rendre un de ses pions à l'autre bout de l'échiquier.

As-tu trouvé cette partie d'échecs captivante, intéressante et plaisante?

Pourquoi ne pas organiser un mini-tournoi d'échecs avec tes camarades de classe?